MARQUÉS DE SANTILLANA

CLÁSICOS CASTELLANOS

MARQUÉS DE
SANTILLANA

CANCIONES Y DECIRES

EDICIÓN Y NOTAS DE DON VICENTE GARCÍA DE DIEGO

ESPASA-CALPE, S. A.
MADRID
1942

PQ 6432
S 23c

Talleres ESPASA-CALPE, S. A., Ríos Rosas, 26. — MADRID

PRÓLOGO

I

Don Iñigo López de Mendoza (1) fué hijo del Almirante D. Diego Hurtado de Mendoza, el más "heredado" caballero de Castilla, del solar de Mendoza, en Alava, y de su segunda mujer doña Leonor de la Vega, rica hembra de las Asturias de Santillana, nieta de Garcilaso de la Vega y viuda de D. Juan de Castilla, teniendo lugar su

---

(1) La fuente de esta biografía, como de todas las que del Marqués se han hecho, es la *Crónica de don Juan II*, ordenada, si es que no escrita, por Fernán Pérez de Guzmán, y publicada en Logroño en 1517 por el Doctor Lorenzo Galíndez de Carvajal. Datos especiales se encuentran en la *Colección de Poesías castellanas anteriores al siglo XV* de Tomás Antonio Sánchez, y más aún en la *Vida del Marqués de Santillana*, que sirve de introducción a la edición de D. José Amador de los Ríos, en donde se aclaran con vista de documentos originales no pocos puntos interesantes de la vida del Marqués y de sus obras. Por último, un resumen interesante de su vida y un concienzudo estudio de su obra literaria en Schiff, *La Bibliothèque du Marquis de Santillane*, París, 1907.

nacimiento el 19 de agosto de 1398 en la villa de
Carrión de los Condes. Por muerte de su hermano mayor D. García en 1403 y de su padre en
julio de 1404, heredó en derecho de mayorazgo
los señoríos de Hita, Buitrago, el Real de Manzanares y Hermandades de Alava, quedando bajo
la tutoría de su madre D.ª Leonor y de sus tíos
el Canciller Pedro López de Ayala y el Presta-
mero mayor de Vizcaya Juan Hurtado de Mendoza. Desde el primer momento deudos y veci-
nos trataron de caer sobre el opulento patrimonio de D. Iñigo, ya con amañados litigios, ya
con audaces detentaciones; pero de todos le fué
librando lenta aunque resueltamente la viril firmeza y la previsora sagacidad de su madre; así,
a los pocos meses de la muerte del Almirante, el
3 de noviembre de 1404, era ya D. Iñigo reco-
nocido por legítimo señor de Buitrago; y no mucho después, en 15 de marzo de 1405, lo era de
la villa de Hita; en 17 de marzo de 1407 se de-
claraba el mejor derecho de D.ª Leonor sobre
los valles de Santillana contra los Manriques,
señores de Castañeda, que, obligados a ceder la
casa de la Vega y los lugares de Potes y Liéva-
na, se intentaron usurpar por la fuerza estos
señoríos, tuvieron que abandonarlos ante la defensa de Pero Gutiérrez de la Lama; de las

"casas mayores" de Guadalajara, detentadas desde poco después de la muerte del Almirante
por su hermano D. Iñigo, señor de Rello, logró
D.ª Leonor, en 20 de abril de 1407, que le fuera
reconocida la propiedad a su hijo, bien que siguió su tío ocupándolas algún tiempo; y sobre
el Real de Manzanares, por cuya posesión movió
pleito D.ª Aldonza de Mendoza, hermanastra de
don Iñigo y esposa de D. Fadrique de Castro,
Conde de Trastamara, consiguió el "secresto" y
tercería, para impedir que D.ª Aldonza retuvie-
se sus frutos y rentas (1).

El 17 de agosto de 1408 se celebraron en Oca-
ña las capitulaciones matrimoniales de D. Iñigo
y de D.ª Catalina de Figueroa, hija del Maestre
de Santiago D. Lorenzo Suárez; en 21 de junio
de 1412 tuvieron lugar los desposorios, y en 7 de
junio de 1416 lleváronse a cabo las bodas en Sa-
lamanca. Antes, en 1414 (2), en la lista de notables caballeros que de Castilla acudieron a Za-
ragoza a la coronación de D. Fernando de Ante-
quera, aparece el señor de Hita y Buitrago D. Iñi-

---

(1) Para estos pleitos, estudiados sobre documentos originales del Archivo del Infantado, véase Amador, XII y sigs.
(2) Sólo como equivocación material puede explicarse la
advertencia que hace Menéndez Pelayo, *Antología*, V, xcv, de
que D. Iñigo "tenía entonces diez y ocho años".

go López de Mendoza (1). Interviniendo muy pronto en las revueltas políticas que se agitaban en torno de la Corte de Castilla, tomó en 1420 el partido del Infante D. Enrique (2); se encontró en la guarda de Tordesillas y en las Cortes que para dar por bien hecho tal desacato celebró el débil Monarca en Avila el mismo año (3); con el Infante D. Enrique fué en seguimiento del Rey cuando éste huyó, en 29 de noviembre del mismo año, desde Talavera al castillo de Villalba, y luego, por no ser éste "defendero", al de Montalbán (4), y con él estuvo también en el cerco de esta fortaleza. Aun después de repetidas órdenes del Rey para que "derramase" su gente D. Enrique, ya abandonado éste por algunos nobles, todavía seguía D. Iñigo en su decadente partido (5), hasta que, recluído el Infante en 14 de junio de 1422 en el Alcázar de Madrid, se retiró Santillana, aparentemente reconciliado con la Corte, a sus palacios de Guadalajara, siendo útil este descanso para sus aficiones litera-

---

(1) *Crónica de don Juan II*, a. 1414, cap. II en la *edición de Riv*.

(2) *Crónica de don Juan II*, a. 1420, cap. VIII.

(3) *Crónica de don Juan II*, a. 1420, cap. XVII.

(4) *Crónica de don Alvaro de Luna*, cap. X, y *Crónica de don Juan II*, a. 1420, cap. XXVI.

(5) *Crónica de don Juan II*, a. 1421, cap. I.

rias, ya que entonces hizo diversos trabajos y
contribuyó a que otros los hicieran, como la traducción de la *Eneida* por D. Enrique de Villena; mas, arrastrado por los acontecimientos,
otra vez volvió a declararse a favor del Infante D. Enrique, cuando, libre éste de su prisión y
apoyado resueltamente por su hermano D. Juan,
nuevo Rey de Navarra, se reunían con algunos
nobles en Valladolid el año 1427 para acordar el
destierro de D. Alvaro de Luna (1). Al año siguiente, acompañando desde la frontera de Aragón a la Infanta D.ª Leonor, que iba por hacer
sus bodas con el Príncipe D. "Eduarte", volvió
de nuevo a Valladolid, encontrándose en las os-
tentosas justas que en honor de la Infanta celebraron el Rey y el Condestable, por entonces
amistados con el Rey de Navarra y el Infante D. Enrique (2). A fines del mismo año, nombrado D. Iñigo del Consejo del Rey, fué llamado
por éste desde Segovia, y recibido con extremo-
sa cortesía de D. Alvaro (3), no obstante lo
cual, persistiendo en su política expectante, fué
de los que tardaron en acudir al llamamiento
hecho por el Rey en 1429 ante la proyectada in-

---

(1)   *Crónica de don Juan II*, a. 1427, caps. IV a VI.
(2)   *Crónica de don Juan II*, a. 1428, cap. VII.
(3)   *Crónica de don Juan II*, a. 1428, cap. XIV.

cursión de los Reyes de Aragón y Navarra (1), bien que, al fin, acudió a Santisteban de Gormaz, siendo bien recibido y prestando el juramento y pleito homenaje que los demás habían hecho (2). Dando pronto otra prueba de su cautelosa política, nombrado frontero de Agreda, no se apresuró a encargarse del mando, y tuvo que escribirle, enojado, el Rey, para que sin tardanza se encontrase en su puesto (3), cosa que hizo entonces, ya decidido a ponerse al servicio de su señor. Al poco tiempo, en 11 de noviembre del mismo año, se presentó Ruy Díaz de Mendoza, *el Calvo*, con fuerte hueste, y, aunque pudo excusar D. Iñigo el encuentro, prefirió pelear, perdiendo casi toda su gente, aunque no el campo (4), gallarda imprudencia que acrecentó su fama de valiente y que le valió en 1430 la donación de 500 vasallos y 12 señoríos de los confiscados a los Infantes de Aragón (5).

Requerido por asuntos de sus señoríos, estuvo breve tiempo en las Asturias de Santillana en el año 1430, regresando en seguida a Guadala-

---

(1) *Crónica de don Alvaro de Luna*, cap. XIX, y *Crónica de don Juan II*, a. 1429, cap. VIII.
(2) *Crónica de don Juan II*, a. 1429, cap. XV.
(3) *Crónica de don Juan II*, a. 1429, caps. XXX y XXXIV.
(4) *Crónica de don Juan II*, a. 1429, cap. L.
(5) *Crónica de don Juan II*, a. 1430, cap. IV.

jara, donde siguió con mayor actividad sus trabajos, ayudado por los Benedictinos de Sopetrán y estimulado por el trato y aplauso de los mejores ingenios (1).

En mayo de 1431, llegando a Córdoba con el ejército que iba hacia Granada, tuvo que quedarse enfermo en esta ciudad (2), aunque siguió su gente, que en Sierra Elvira peleó con gran denuedo a las órdenes de Pero Meléndez de Valdés (3). Acrecentados en esta expedición los recelos del Rey sobre la parcialidad de algunos nobles por los Reyes de Aragón y Navarra, como hiciera por prevención algunas prisiones, se refugió D. Iñigo, en 1432, en su castillo de Hita, el cual, por lo que pudiera ocurrir, abasteció de armas y viandas (4). Mas, pasada la tormenta, estuvo en Madrid en la justa "cotida" que en 1433 se celebró, siendo él mantenedor, y aventurero D. Alvaro de Luna (5).

---

(1) En el *Arte de trobar* de D. Enrique de Villena, escrito probablemente en este tiempo e "intitulado", como es sabido, a D. Iñigo, se alude a sus aficiones literarias y al aplauso que ya sus versos alcanzaban: "Pues que mis obras, aunque impertinentes, conosco a vos seer apazibles e que vos deleitades en fazer ditados e trobas ya divulgadas e leydas en muchas partes."

(2) *Crónica de don Juan II*, a. 1431, cap. XIX.
(3) *Crónica de don Juan II*, a. 1431, cap. XX.
(4) *Crónica de don Juan II*, a. 1432, cap. V.
(5) *Crónica de don Juan II*, a. 1433, cap. II.

Envuelto otra vez en pleitos, litigó en 1434 con el Concejo de Guadalajara, y hasta con las armas tuvo que defender, en 1435, sus derechos a la herencia de su hermanastra la Duquesa de Arjona, llegando a sitiar en Cogolludo a Diego Manrique y Diego de Mendoza, que se habían alzado con sus bienes (1).

Por este tiempo se estrecharon sus relaciones con la Corte, como lo prueba la visita que por invitación suya le hizo el Rey en su castillo de Buitrago, en el cual "hizo sala" no solamente a los Reyes, sino al Condestable y a todos sus acompañantes (2), visita repetida el siguiente año en Guadalajara con motivo de las bodas del primogénito de D. Iñigo, que fué apadrinado por el Rey. En servicio igualmente de su Monarca, y previo un seguro que D. Juan le dió en 1437 para que las justicias del reino no conocieran de sus pleitos durante su ausencia, marchó en 1438 como Capitán mayor a la frontera de Jaén, logrando importantes triunfos militares, como la toma de Huelma (3), donde entró a "sacomano", y la del castillo de Bexis, al mismo tiempo que el Rey, olvidado del seguro, pronunciaba, en 3

(1)   *Crónica de don Juan II*, a. 1435, cap. VI.
(2)   *Crónica de don Juan II*, a. 1435, cap. VII.
(3)   *Crónica de don Juan II*, a. 1438, cap. II.

de diciembre de este año, sentencia desposeyén-
dole de gran parte de los valles de Santillana (1). Pronto halló ocasión de venganza en el
nuevo rompimiento de la Corte con el Rey de
Navarra y el Infante D. Enrique, yéndose al partido de éstos y apoderándose en 1440 de Guadalajara (2). En el mismo año fué a la raya de
Navarra a esperar a D.ª Blanca, prometida del
Príncipe D. Enrique (3), con el cual se disgustó
bien pronto, porque el Condestable, con el solo
fin de desposeer a D. Iñigo de la villa de Guadalajara, se la adjudicó al Príncipe, cosa que no
pudo cumplirse, pues D. Iñigo se opuso enérgi-
camente e hizo volver a los que fueron enviados
para tomar posesión de ella (4). Vivamente ex-
citado por este ardid, y ya en abierta ofensiva
contra el Rey y el Condestable, se apoderó, en
unión de D. Gabriel Manrique, de Alcalá de He-
nares (5), señorío del Arzobispado de Toledo,
habiendo por esto acudido contra D. Iñigo la
gente del Arzobispo, mandada por el Adelanta-
do de Cazorla Juan Carrillo; aquél, por la gallar-

---

(1)   Amador, LXXII, nota 29.
(2)   *Crónica de don Juan II*, a. 1440, cap. IX.
(3)   *Crónica de don Juan II*, a. 1440, caps. XIV y XX.
(4)   *Crónica de don Juan II*, a. 1441, cap. V.
(5)   *Crónica de don Juan II*, a. 1441, cap. XI.

día de no esperar a toda su gente, se vió derrotado y gravemente herido.

Por este tiempo se redoblaron los embates de la nobleza contra el poder de D. Alvaro, y, contando con el decisivo concurso de la Reina, lograron que se dictase, en 9 de julio de 1441, la sentencia arbitral, bien pronto anulada, por la que se recluía en Riaza y San Martín de Valdeiglesias al Condestable y se alejaba de la Corte a cuantos fuesen declarados parciales suyos por D. Iñigo y demás nobles del partido contrario (1). Durante este destierro D. Iñigo prepondera en la Corte, acompañando al Rey a Madrigal y de allí a Avila en 1442 (2); hasta que el nuevo valimiento del Condestable le hizo retraerse a sus posesiones de Guadalajara, donde residió algún tiempo. En ellas estaba en 1443 cuando fué solicitado por el Rey D. Juan y por el de Navarra, y en 1444, cuando el Príncipe D. Enrique le pedía que le ayudase a libertar a su padre. Don Iñigo, cuyo poder se había acrecido desde el año anterior con la alianza de don Luis de la Cerda, accedió a la solicitud del Príncipe con la condición de que éste influyese para lograr la definitiva confirmación de su derecho

(1) *Crónica de don Juan II*, a. 1441, cap. XXX.
(2) *Crónica de don Juan II*, a. 1442, cap. VII.

sobre los valles de Asturias de Santillana (1) ; y, en efecto, aprestadas sus gentes, se reunió con el Príncipe en los primeros días de julio de 1444, partiendo para Pamplona (2) y derrotando al Rey de Navarra, que apenas logró escapar, por cuyo servicio se confirmó la cesión a su favor de los valles de Santillana y del Alcázar de Guadalajara. Nueva y brillante ayuda prestó a su Rey al siguiente año en la sangrienta lid de Olmedo, donde peleó al lado de D. Alvaro de Luna, formando su gente una "batalla" con la de su primo el Conde de Alba (3), recibiendo en premio el Condestable el título de Gran Maestre de Santiago, y el señor de Hita el de Marqués de Santillana y Conde del Real de Manzanares (4). Otra vez al siguiente año tuvo que tomar las armas para rescatar la plaza de Torija, de la que se había apoderado el Rey de Aragón para vengar la derrota de sus hermanos (5), y también la suerte le fué propicia, apoderándose, al fin, de ella en 2 de agosto de 1447 (6). Considerado por tales triunfos en la Corte, acompañó

(1)   *Crónica de don Juan II*, a. 1444, cap. XI.
(2)   *Crónica de don Juan II*, a. 1444, cap. XV.
(3)   *Crónica de don Juan II*, a. 1445, caps. III y VI.
(4)   E título, concedido en Burgos a 8 de agosto de 1445, puede verse íntegro en Amador, *Apéndice II*.
(5)   *Crónica de don Juan II*, a. 1446, cap. VIII.
(6)   Mariana, *Historia general de España*, XXII, 6.

por algún tiempo al Rey, asistiendo en Madrigal
a sus bodas con D.ª Isabel de Portugal y per-
maneciendo con ellos en Soria hasta diciembre
de aquel año, en que se volvía a Guadalajara (1),
al tiempo que la cuestión eterna entre D. Alvaro y los nobles resurgía con siniestro cariz. De-
seoso D. Iñigo de vengar la prisión de su primo
el Conde de Alba (2), asistió a la reunión que
los nobles con el Rey de Navarra y el Príncipe D. Enrique celebraron en Coruña del Conde
el 20 de julio de 1449 para librar a los caballeros presos (3) ; si momentáneamente unidos los
castellanos acuden a rescatar la villa de Torija,
que segunda vez había tomado el Rey de Aragón, pronto arrecian en sus ataques contra el
Maestre de Santiago, y D. Iñigo, aliado con el
Conde de Plasencia, envía en 1452 a su primogénito D. Diego Hurtado para que, unidas sus
gentes con las de D. Alvaro de Estúñiga, se
apoderen en Valladolid de D. Alvaro de Luna (4).
Este audaz golpe de mano determina la huída

---

(1)   *Crónica de don Juan II*, a. 1447, cap. III.
(2)   Para consolarle en su prisión le envió D. Iñigo su
poema *Bias contra Fortuna*, obra interesante no sólo por su
mérito literario, sino también por las curiosas doctrinas morales que encierra, de un marcado sabor estoico, aunque depu-
radas por un sentido cristiano.
(3)   *Crónica de don Juan II*, a. 1449, cap. XI.
(4)   *Crónica de don Juan II*, a. 1452, cap. I.

del Maestre a Burgos, y, como consecuencia, la prisión de éste y su decapitación en Valladolid.

Libre de D. Alvaro, su influencia parecía incontrastable, y, en efecto, gozó del favor de la Corte, trabajando en el concierto que Castilla celebró con el Rey de Aragón y luego con el nuevo Rey, tomando parte activísima en la expedición a la vega de Granada. Pero si su poder llegaba al apogeo, su naturaleza empezaba a decaer; crueles desgracias de familia amargaron sus postreros años y entibiaron su actividad; sus ocupaciones principales no eran ya los asuntos públicos, sino el orden de su hacienda, el cuidado de sus hijos, la protección de los desvalidos y el aparejo para la muerte. El caballero cristiano vió con dulce resignación llegar el término de sus días, y murió cristianamente en Guadalajara a 25 de marzo de 1458 (1).

II

Hombre de su época, y hombre preeminente y selecto, el Marqués de Santillana compendia en su vida social y literaria gran parte de los vicios y todas las manifestaciones de vida

---

(1) Sobre las dos obras *Diálogo...* de Pero Díaz de Toledo y *Triunfo del Marqués*, de Diego de Burgos, inspiradas en la muerte de D. Iñigo, véase Amador, *Apéndice III*.

*

y de cultura de la revuelta y poética Corte
de D. Juan II. Nacido en medio de aquella tur-
bulenta nobleza, en la que, bajo el pulcro manto
de cortesanas y teatrales galanterías, alentaba
aún la primitiva rudeza caballeresca y feudal,
intervino en las rebeliones contra el Rey y en
las feroces luchas de banderizos, manteniendo,
sin embargo, en tal ambiente de sangre, de odio
y de ambición un cierto espíritu de rectitud y
de magnanimidad. De igual modo a su obra literaria trascienden graves defectos de su época,
tales como la ausencia de un gran ideal poético,
la falta de verdadera fusión entre los dos elementos que entonces integraban nuestra poesía
(italiano y lírico castellano), el amaneramiento
de estilo, una pedantesca manía latinizante y
algo que con exagerado rigor reputamos hoy
como defectuoso, a saber: aquella infantil y des-
tartalada erudición mitológica y heroica que
campea en todos los poetas; pero lleva la prima-
cía entre sus contemporáneos por una concepción superior, puramente intuitiva, del ideal del
Renacimiento, por la amplitud de su gusto estético, amplitud compatible con un refinamiento
depurado y exquisito, por su sentido musical,
por su destreza técnica en los ritmos y en la
lengua y, finalmente, por una intimidad y deli-

cadeza lírica que constituyen lo típico e inimitable de su musa.

Su espíritu, no genial, pero sí abierto y sensible a todas las manifestaciones de la belleza, se aprovechó de cuantas corrientes persistían entonces en nuestra literatura. Las obras en prosa de forma generalmente narrativa y de finalidad moral de los tiempos de Alfonso el Sabio y de Sancho el Bravo habían derivado, a partir del siglo XIV, hacia las obras poéticas directamente morales, en las que el primitivo argumento épico con su valor simbólico tendía a desaparecer para dar lugar exclusivo al elemento moral, ya en forma doctrinal y sentenciosa, al modo del Rabí de Carrión; ya en tono condenatorio, como en el *Rimado*, de Ayala; ya bajo un aspecto burlesco, como en las regocijadas sátiras del Arcipreste de Hita. En esta poesía se inspiraron *Bias contra Fortuna*, los *Proverbios* y *Doctrinal de Privados*. Es el primero un diálogo en que el filósofo Bias (1), rebatiendo los argumentos de Fortuna, va exponiendo un des-

---

(1) Aunque Santillana en el proemio al conde de Alba cita como fuente a Laercio, y es indudable que no le fué desconocido este autor, lo cierto es que sus noticias arrancan de un libro muy posterior, arsenal de poetas y eruditos, del manoseado y novelero *Libellus de vita et moribus philosophorum et poetarum,* traducido no hacia mucho con el título de *Vidas e dichos de los philosophos antiguos.*

colorido y extraño estoicismo; los *Proverbios*
(1437) son graves consejos dirigidos al Príncipe D. Enrique, sazonados en donosa mezcla con
doctrinas de experiencia, ejemplos históricos,
preceptos bíblicos y cristianos y sentencias de
moralistas clásicos (1); en el último (1452), con
ocasión de la muerte de D. Alvaro de Luna, pone
en boca de éste una confesión de sus culpas, fe-
rozmente exageradas por el poeta, exponiendo
como conclusión el tema entonces hecho lugar
común, y que luego acertó a cristalizar el gran
lírico Jorge Manrique, sobre la vanidad de las
cosas humanas (2).

Otra corriente, la que por su importancia y
mayor influjo dió carácter a la poesía castellana
en los comienzos del siglo XV, es la lírica provenzal. La influencia que los trovadores ejercieron
en Castilla desde los tiempos de Alfonso VIII

---

(1) La gran autoridad en este punto para Santillana es
Séneca, pero, entiéndase bien, el Séneca de los centones me-
dievales, bajo cuyo nombre, convertido en símbolo de los vie-
jos moralistas, se reunían en ingenuo anacronismo pensamientos de los antiguos filósofos y de Santos Padres de la Iglesia.
(2) El mismo motivo poético se encuentra en las estrofas XVIII y XIX de *Bias contra Fortuna:* "¿Ques de Ní-
nive. Fortuna?...", y más intencionadamente en la fría y pesa-
da *Pregunta de Nobles:* "Pregunto ¿qué fué d'aquellos que
fueron...?" La imitación concreta de las famosas *Coplas,* en
cuanto a las alusiones históricas y la forma interrogativa, ha
sido minuciosamente estudiada por Menéndez Pelayo en su
Antología de Poetas líricos castellanos, IV, II, y VI, IV.

hasta los del Rey Sabio, a pesar de algunas con-
diciones favorables, no fué eficaz, como si la áspera tierra de las gestas no estuviese preparada
aún para recibir la delicada semilla. Tuvo, en
cambio, eficacia, hasta prender con profundas
raíces, en una región de España, en Galicia,
donde aptitudes nativas y viejas tradiciones
poéticas favorecían esta invasión lírica. Allí fué,
entre las oleadas de las peregrinaciones, donde
a los primeros ecos de la poesía de los "bellos
dezires" surgió una legión verdadera de trovadores, cantores sin patria, que sin mayores idea-
les se entretenían en deleitar el oído con la música de sus versos y en recrear el espíritu con
un vago y soñador sentimentalismo. Tal poesía,
culta y refinada, incolora por la ausencia de re-
flejos locales, vaga y sin relieve, circunscrita al
monótono tema de un fingido amor, se acercó
un día a la poesía del pueblo (poesía en Galicia
ordinariamente mujeril), la que en el escenario
de sus seculares *romurías* regocijaba con sus
burlas, cantaba el amor verdadero o narraba
los *miragres* de sus santuarios más famosos.

De esa unión nacía, hacia la mitad del siglo XIII, la lírica *gallega;* lírica religiosa encar-
nada en el gran poema de las *Cántigas,* ni enteramente histórico como los mazorrales relatos

de los *Milagros*, de Berceo, ni enteramente lírico
como la posterior poesía de los loores, sino lírico-
narrativo; la lírica erótica, la de los cantos de
ledino y de *amigo*, en los cuales al idealismo
amoroso sustituía el sentimiento vivo del amor
humano, tenuemente impregnado de la dulce me-
lancolía de la raza; y, en fin, la poesía satírica,
donde la risa burlona, como espuma de esa misma tristeza, dejaba oír sus punzantes ecos. Los
que desdeñaron el acudir a la inspiración popular siguieron con su poesía lánguida y trivial,
estableciéndose una completa separación entre
estas dos tendencias, entre la poesía *gallega*, más
o menos culta, con raigambre en la poesía popular, y la poesía *provenzal*, que, insensible al
espectáculo de la vida, seguía cantando fastidio-
samente sus invariables temas. Esta distinción,
algo extraña a primera vista, por tratarse de
poetas que emplean igual métrica, y que convi-
ven no sólo en el tiempo y en la región, sino
en el mismo círculo literario, en las páginas de
un mismo cancionero, y a veces hasta en una
misma persona, es, prescindiendo de detalles y
circunstancias, indudable y fundamental. Al ser
trasplantada la poesía gallega a Castilla (1), en

---

(1) La manoseada cita de Santillana se refiere, no al tras-
lado de la escuela poética, sino a la importancia del dode-

la segunda mitad del siglo XIV, después de un siglo de apogeo, no fué, naturalmente, la verdadera lírica *gallega,* que no podía florecer sin su savia popular, sino la lírica *provenzal* de Galicia, toda artificio y convencionalismo, que para su lánguido vivir no necesitaba el puro aire de las campiñas, sino el perfumado ambiente de los salones. Durante los reinados de Enrique II, Juan I y Enrique III, un gran número de poetas cultivan la nueva poesía. Los defectos de ésta, sobre todo la penuria de temas y la trivialidad y conceptismo de las canciones amorosas, fueron en aumento; cierto es que las "cadencias logicales", la versificación, conservó su variedad y aun mejoró su flexibilidad y ligereza; pero aquella riquísima armazón métrica encerraba por toda poesía insulsas sutilezas y galanterías amatorias, revesadas *reqüestas,* procaces sátiras y un abigarrado conjunto de versos de actualidad, muy interesantes para la historia, pero de escaso valor poético. Que la tradición gallega perduraba lo muestran los poetas que, como Vi-

---

casílabo y de los metros menores: "E después fallaron esta arte que mayor se llama, e el arte común, creo, en los reynos de Galliçia e Portugal, donde non es de dubdar que el exerçiçio destas sçiençias más que en ningunas otras regiones e provincias de España se acostumbró." *Proemio al Condestable de Portugal,* XIV.

llasandino y el Arcediano de Toro, escribían a veces en aquella lengua (1), por cierto no con extremada corrección (2).

Definida así y con fisonomía inconfundible la lírica de Castilla, a pesar de ya visibles influencias, era lógico que no rompiera Santillana con esta tradición, por otra parte tan adecuada a su espíritu galante y cortesano; y si las circunstancias históricas de su personalidad literaria hacían suponer esto, el estudio de sus

---

(1) Tampoco alude a esto, como se cree, el mal traído pasaje de Santillana: "Non ha mucho tiempo qualesquier dezidores e trovadores destas partes, agora fuessen castellanos, andaluzes o de la Extremadura, todas sus obras componían en lengua gallega o portuguesa." *Proemio*, XIV. La contextura del párrafo prueba que *destas partes* se refiere a *Gallicia e Portugal*, citadas anteriormente, donde poetas de otras regiones, al residir en aquéllas, se incorporaban a la escuela gallega, escribiendo todos en este idioma; además de que la afirmación, según lo entiende el P. Sarmiento, de que los poetas castellanos del siglo XIV compusiesen "todas sus obras" en gallego era enormidad demasiado grave para que la formulase un hombre tan culto como Santillana.

(2) Los castellanismos de que están plagadas las composiciones gallegas del *Cancionero de Baena* prueban únicamente que sus autores no poseían de esta lengua mas que el pequeño caudal de voces que se manejaba en el lenguaje poético, sin conocer a fondo su léxico ni su gramática; pero no es lícito ver en esta mezcla, hecha por pura ignorancia, "un estado de transición" entre ambas lenguas, como no lo es el identificar este idioma gallego incorrecto de los poetas castellanos con el llamado "dialecto poético convencional", pobre pero correcto, de los trovadores gallegos y el verdadero y viviente idioma gallego, cual el de los poetas de inspiración popular, por ejemplo, el rico y jugoso de las *Cántigas*.

obras lo confirma. A unas poesías religiosas,
diez *serranillas* y dos docenas de canciones
queda numéricamente reducido cuanto podemos
atribuir a la escuela trovadoresca, y, sin embargo, de hecho Santillana es un poeta provenzal: es que, como veremos, bajo el follaje de
visiones y alegorías dantescas la lírica provenzal corría y conservaba sus primores y sus defectos. Provenzal es el Marqués "en el guardar del arte", en la afición a los ritmos varia-
dos y ligeros, que él manejó con sin igual destreza, dejando el sello de una versificación sin
obstáculos, acompasada y musical; lo es, igualmente, en sus canciones amorosas, casi siempre
frías y amaneradas como las que más, pero de
una sobriedad lírica no igualada; recuerda también la lírica provenzal de Galicia en las *serranillas,* derivación de las viejas *vilaas* del
Cancionero de la Vaticana, que, desfiguradas
grotescamente por la visión sensualista y des-
criptiva del Arcipreste de Hita, recibieron en
Santillana una forma lírica original, donde no
se sabe qué admirar más, si el cuadro campes-
tre que sin describirse se imagina, lo rápido de
la acción dramática, el poético misterio que la
envuelve o la tenue malicia y aristocrática iro-
nía del poeta; como varios de sus predecesores,

compuso una canción en gallego, no yéndoles a
la zaga en la abundancia de barbarismos; el
sabor lírico de la poesía de los loores se des-
cubre en sus composiciones religiosas, y, por
último, son de pura cepa provenzal sus principales ideas poéticas, y especialmente el concepto del amor.

En el último tercio del siglo XIV se inicia la
influencia dantesca en nuestra literatura por
un grupo de poetas que tienen a Imperial por
maestro; la nueva poesía, hostilmente recibida
por la escuela "de ynota color" de Villasandino, va abriéndose campo y se infiltra en la lírica castellana, dejando algo de la pompa de las
primeras imitaciones para amoldarse al carácter ligero de nuestra poesía. Santillana recogió
con cariño este nuevo influjo, que no tiene en
él la importancia fundamental que se ha supuesto, pero que es indudable y decisivo. El declara inconscientemente la naturaleza de esta
imitación italiana, primero del Dante, y luego de
Petrarca, al confesar que prefiere los "itálicos"
a los franceses "solamente ca las sus obras se
muestran de más altos engenios, e adórnanlas
e compónenlas de fermosas e pelegrinas estorias" (1). Su dantismo, efecto en parte de la

_____

(1) *Proemio al Condestable de Portugal,* XII.

escuela dantesca de Sevilla y en parte del conocimiento del original, es más bien decorativo y
de procedimiento: escenarios selváticos, descrip-
ciones de amaneceres y atardeceres por su no-
menclatura mitológica; visiones y alegorías;
elementos que por entrar en las obras más ex-
tensas, como la *Comedieta de Ponza, Infierno
de los enamorados, Visión, Triunfete de Amor,
El planto de la reina Margarida, Coronación
de mosen Jordi* y *Defunción de don Enrique de
Villena*, parecen imprimir carácter. Pero, si se
estudian en detalle estos motivos de decoración
y los demás elementos, se verá que la influencia
queda reducida a estrechos límites; del simbolismo teológico del Dante, profundo y orgánico,
al simbolismo fragmentario y de ocasión de estos poetas hay un abismo; de cuantas ideas for-
man la entraña de la gran epopeya apenas si
ha prendido alguna que otra; la genial fac-
tura poética del modelo está demasiado alta para
que intenten ni remedarla, y la solemne ma-
jestad de la versificación no hay quien la conoz-
ca en los rápidos dodecasílabos o en los menu-
dos versos del romance. En cuanto a la imitación de Petrarca es más fiel, aunque menos ex-
tensa, pues en definitiva viene a reducirse a

los sonetos (1). De los cuarenta y dos que conocemos, los amorosos, que son la mitad de ellos, y algunos otros, como los señalados con los números XXIX y XXX en la edición de Amador, recuerdan el *Canzionere;* la influencia es indudable en cuanto el "ytálico modo" (la forma de soneto, visto por primera vez en España), en cuanto a los temas y aun en lo material de algunas frases; mas para no exagerarla demasiado conviene advertir que en algunos sonetos no hay la menor imitación de ideas, que el platonismo amoroso estaba en el fondo de la poesía provenzal, y que lo más característico del vate italiano, el tono de realidad poética, la sinceridad y vehemencia de afecto, el contraste, en suma, entre su concepción metafísica del amor y lo ardoroso y humano de su pasión, falta en Santillana, que aquí, como en sus canciones provenzales, no ve en el amor poético sino el aspecto de ficción, un tema aprovechable para hacer lindas trovas y para lucir su ciencia mitológica e histórica, las "pe-

---

(1) Para el estudio de la influencia petrarquista en los sonetos es interesante la memoria doctoral de Angel Vegue, *Los sonetos "al itálico modo" de don Iñigo López de Mendoza, Marqués de Santillana,* Madrid, 1911; para la influencia general del italianismo véase *I primi influssi di Dante, del Petrarca e del Boccaccio sulla Letteratura Spagnuola,* de Bernardo Sanvisenti, Milán, 1902.

legrinas estorias" que en Italia y en todas partes eran entonces ornamento obligado de toda poesía.

Aunque el conocimiento de la antigüedad clásica no se extinguió en la Edad Media, lo que de aquél trascendía a la literatura era sólo de determinados autores, y aun éstos casi siempre por medio de embrollados extractos. La ampliación de este conocimiento por los poetas italianos y en seguida por la lectura de los textos originales abrió por todas partes un campo inmenso a los literatos e imprimió en algunas nuevo rumbo a los espíritus; pero en España el Renacimiento no sólo no produjo derivaciones trascendentales en las ideas filosóficas, sino que las mismas ideas estéticas fueron desfiguradas al adaptarse a nuestro modo espiritual, influyendo sólo cumplidamente en lo exterior. Santillana, que se había amamantado en el viejo clasicismo de las historias heroicas y de los centones morales, lo refrescó con el de Dante y Petrarca y buscó como pudo el conocimiento directo de los clásicos, ordenando traducciones de sus principales historiadores y poetas; aunque "contento de las materias" (1), ya que por

_____

(1)   Carta a su hijo Pero González de Mendoza, III.

no dominar el latín no podía apreciar las bellezas de las formas, no fué poco, sin embargo, lo
que se le pegó de éstas, mostrándose en sus sonetos y en algunas composiciones de arte mayor una reprimida y comprensiva concisión, en
su prosa una enfática elegancia, y en casi todas
la tendencia, que degeneró en petulancia y manía, a usar voces altísonas y a renovar el viejo
léxico castellano, el opulento léxico de Berceo y
de Hita, enriqueciéndolo con el tesoro interna-
cional de términos abstractos, y ahogando de
paso las voces más gráficas y mejor forjadas de
nuestro idioma. Santillana no fué un humanista,
o su humanismo fué una pueril preocupación y
no una disciplina; a pesar de esto, o tal vez por
esto, si se recreó en la superficie del clasicismo,
no quedó como muchos otros enredado en sus
hermosas mallas, y pudo atisbar del fondo algo
del sentido estético de la antigüedad pagana.
Su *Proemio* implica un concepto de la belleza,
un gusto de la forma y del ritmo superior al de
sus contemporáneos, y que aun mucho después
no logró la sazón debida. De filósofos e historiadores rebuscó especialmente sus sentencias;
de poetas se asimiló tan sólo lo más obvio; Virgilio visto a través de Dante, y Ovidio con su
erudición mitológica, prestaron no pocos ele-

mentos a su cultura. En cuanto a Horacio, si acaso inspiró las estrofas XVI a XVIII de la *Comedieta de Ponza*, dejó de ser Horacio al hacerse español: las alabanzas del Marqués a la paciente pobreza, como la delectación de la quietud mística de Fr. Luis de León, son cosa extraña al sonriente epicureísmo del vate venusino.

Finalmente, Santillana no desdeñó las bellezas de la literatura popular: así se entretiene a veces en glosar lindas canciones populares, como en el villancico que dedicó a sus hijas; con más frecuencia glosa refranes conocidos, por ejemplo, en el *dezir* contra los aragoneses y en algunas canciones; en el soneto II (edición de Amador) parece haber tenido presente un romance perdido sobre el cerco de Zamora, y rindió el más alto tributo de admiración al genio del pueblo con su colección de refranes, la primera que en lengua vulgar se ha escrito; podemos, pues, disculparle de la preterición que hizo de la vieja poesía épica castellana, si acaso la conoció, con el lamentable estado a que había llegado en su tiempo la antes honrosa juglaría, ya patrimonio de ciegos trashumantes y de "escolares nocherniegos", poesía incompatible con su atildada pulcritud y su lirismo espiritual.

III

La presente edición se ha hecho sobre los manuscritos VII-Y-4 y VII-A-3 de la Biblioteca Real, y M-59 (actual 3.677) de la Biblioteca Nacional, que llamaremos, respectivamente, *Y*, *A* y *M*. De la edición de Amador hemos prescindido, por fundarse en el más moderno e incorrecto de los tres, el códice *M*, al que empeora en muchos casos, y por dar variantes que no existen de los otros dos manuscritos.

El códice *Y*, ya descrito por Amador (CLIX), es, a juzgar por todos los caracteres, el más antiguo de los tres, y el que reproducimos en el texto en todas las composiciones que no llevan indicación especial. Mas, desgraciadamente, contra la opinión de aquel erudito, que le tenía por el *Cancionero* mismo que el Marqués de Santillana enviara a su sobrino Gómez Manrique, no es mas que una copia; copia posterior a Santillana, ya que en el folio 92 contiene las coplas de Gómez Manrique a la muerte de su tío, y no siempre segura, pues ofrece multitud de erratas que corregimos en vista de las otras lecciones.

El códice *A* es por sus caracteres algo posterior, acusando vigorosamente los trazos góticos tímidamente iniciados en el anterior manuscrito. Sin caer en la idea de que pueda ser el *Cancionero* que Santillana remitió al Condestable de Portugal (1), es lo cierto que ofrece singular interés, y que en muchos casos responde a un original más perfecto que el que sirvió de tipo para *Y*.

El manuscrito *M* tiene valor por contener composiciones desconocidas de los otros códices. Es una copia tardía, de un copista inteligente que restaura nombres y corrige o interpreta frases oscuras. Por eso sólo lo utilizamos en poesías nuevas y para corregir alguna errata material de los inconscientes copistas anteriores.

Todas las modificaciones que hacemos van suficientemente anotadas: las adiciones y enmiendas se marcan en el texto mismo; pero las supresiones las indicamos tan sólo al pie con el fin de no embarazar demasiado la lectura.

VICENTE GARCÍA DE DIEGO.

---

(1) El *Proemio* del Marqués habla claramente de solas composiciones *suyas:* "me rogó que los dezires e cançiones *mías* enviasse a la vuestra manifiçençia"; composiciones rebuscadas algunas en los cancioneros de varios para enviarlas solas a D. Pedro: "por los libros e cançioneros agenos fize buscar e escrevir por orden, segunt que las yo fize, las que en este pequeño volumen vos envío". Por sola esta razón el voluminoso cancionero de la Biblioteca Real, en el que se contienen multitud de composiciones de otros trovadores, no puede ser el manuscrito a que el *Proemio* se refiere.

[INFIERNO DE LOS ENAMORADOS]

AQUÍ COMIENÇA EL YNFIERNO QUE FIZO EL SEÑOR
MARQUÉS DE SANTILLANA DE LOS ENAMORADOS

[I]

La fortuna que no cesa,
siguiendo el curso fadado,
por una montaña espesa
separada de poblado
me levó, como rrobado,
fuera de mi poderío;
asi quel franco alvedrío
del todo me fué [privado].

---

2 *Curso fadado* igual que *destino;* "Iten quisiera ser
más ynformado | de toda la rueda que dixe futura | e de los
fechos que son de ventura | o que se rigen por curso fadado."
Mena, *El Laberinto de Fortuna*, 293.

3 *Montaña* en la acepción de *bosque.* V. Menéndez Pi-
dal, *Cantar de Mio Cid*, II, p. 763.

7 "Libre alvedrío" en Amador.

8 En *A* "me fué del todo privado"; en *Y* "del todo
me fué rrobado".

[II]

O vos, Musas, qu'en Parnaso
10   fazeys la abitación,
alli do fizo Pegaso
la fuente de perfición;
en la fin e conclusión
en el medio, començando,
15   vuestro [subsidio] demando
para mi propusición.

[III]

Por quanto a dezir qual era
el salvaje peligroso

---

10   En *A* "fazedes abitacion".
12   La fuente Hipocrene.
13   En *M* "en el fin".
14   En Amador "en el medio e començando".
15   "Sunçidio" en *Y* por confusión de oído del escriba;
en *A* "susidio".
16   En *A* "en esta proposición".
17   En *A* "Por quanto dezir qual era". Este pasaje es
traducción de Dante. "Ahi quanto a dir qual era e cosa
dura | questa selva selvaggia ed aspra e forte | che nel pen-
sier rinnova la paura", *Inf.*, I, 4-6.
18   "Salvaje" en *Y* y en *A;* en Amador "selvaje", lección
que no tiene aquí fundamento, por más que sea frecuente
en esta época: "Este los selvajes siguió de Diana | e sabe
los colles del monte Riffeo", *Ponza*, XXXIII: no sólo en la
acepción de bosque, sino también como adjetivo: "Los animales domésticos y selvajes", Antonio de Cáceres, *Paráfrasis
de los Salmos*, p. 49.

    e recontar su manera
20   es auto maravilloso;
    que yo nin pinto nin gloso
    silogismos de [poetas],
    mas, siguiendo liñas rretas
    fablaré non ynfintoso.

[IV]

25   Del su modo ynconsonable
    non escrive tal Lucano
    de la selva ynabitable
    que taló el brav[o rom]ano.

---

19 En *A* y en *M* "en recontar". *Recontar* como *describir:* "E los árboles sombrosos | del vergel ya recontados." *El sueño*, XII; "De las bivas criaturas | que recuente sus figuras | ¿quién será tan entendido?" Mena, *N.ª B.ª de AA. E.*, 211: "Nin las sus proezas serán recontadas | de aquel Aníbal muy fuerte africano", Hernán Pérez de Guzmán, *Baena*, núm. 571.

20 "Acto" en *A*.

21 En *A* "e yo no pinto".

22 "Poectas", falsa escritura de *Y*.

24 *Infintoso*, sinónimo de *afectado*, por oposición a lo que se dice sin rodeos, a lo claro y sencillo: "Mas estos tan desdeñosos | son que Constança Frisoa, | publica fasta Lisboa | que son dichos enfintosos", Suero de Ribera, *Baena*, número 574; otras veces recuerda la acepción original *fingido:* "A las vezes pierde e cuyda que gana | quien buen callar troca por mucho dezir; | e non deve graçias nin bien resçebir | qui loa infintoso por cobdicia vana", *Baena*, núm. 232.

25 "Ynconsolable" en *A* y *M*.

26 En *A* "discribe".

28 En *A* "que tulio el bravo romano"; en *Y* parece errata material del copista, "que taló el bravano".

Si por metros non esplano
30 mi proçeso, e menguare,
el que defecto fallare
tome la pluma en la mano.

[V]

Sus frondes comunicavan
con el cielo de Diana;
35 e tan lexos se mostravan,
que naturaleza humana
non se falla nin esplana
por a[u]tores en letura
selva de tan grand altura,
40 nin Olimpio el de Toscana.

[VI]

De muy fieros animales
se mostravan e leones,

---

29 En *A* "Si por metro"
30 En *A* "mi proposito".
32 En *A* "tome la penyola 'n la mano".
33 "Frondas" en *A* y *M*.
35 "E tan altas" en Amador.
38 En *Y* "abtores", lo mismo que en *A*; "actores" en *M*.
40 "Olimpo" en *A*.
41 En *M* "Muchos fieros animales"; en Amador "Do muy fieros", pero "de muy" en *Y* y *A*.

e serpientes desiguales,
grandes tigres e dragones;
45   de sus diformes façiones
non relato por estenso,
por quanto fablar ynmenso
va contra las conclusiones.

[VII]

Vengamos a la corona,
50   que ya non rresplandescía
de aquel fijo de Latona,
mas del todo se ascondía;
e yo como non sabía
de mí signo nin ventura,
55   contra rrazón y mesura
me levó do non quería.

[VIII]

Como nave conbatida
de los adversarios vientos

---

45 "Fayçones" en *A*.

48 "Cuentra" en *A*.

51 De Febo.

53 Amador "e como yo non sabía", pero nuestra lección está asegurada por *Y*, *A* y *M*.

54 En *Y* "signo" y en *A* y *M* "sino", donde Amador leyó malamente "sinon", interpretándolo por "salvo que".

57 Aunque interpretados con cierta libertad, recuerdan estos versos aquellos del *Infierno*, I, 22-26: "E coma quei che con lena affamata | uscito fuor del pelago alla riva, | si volge all' acqua perigliosa e guata, | così l' animo mio, che ancor fuggiva. | si volse indietro a rimirar lo passo."

60 que dubda de su partida
    por los muchos movimientos,
    iva con mis pensamientos
    que yo mismo non sabía
    qual camino siguiría
    de menos contrastamientos.

[IX]

65 E como el falcón, que mira
    la tierra más despoblada,
    e la fanbre alli lo [tira],
    por fazer çierta bolada,
    así prise mi jornada
70 contra lo más açesible,
    aviendo por ynposible
    mi pena ser rreparada.

[X]

Pero no andude tanto
quanto andar me cumplía

---

62   En *M* "que yo mesmo non sentía".

67   En *Y* "lo lieva", pero el metro y la autoridad de *A* indican la corrección.

69   En *A* "yo comencé mi jornada".

70   En *M* "faza".

72   En *A* "mi cuyta".

73   En *A* "andé", que hace corto el verso; Amador corrige "andove"; pero bien conocidas son las antiguas formas *andidieron, Cid*, 1197, 3554, y *andodieron, Fernán González*, 3 c.

74   En *M* "nin quanto me convinía".

75 por la noche con espanto
que mi camino ynpidía;
el propósito que avía
por estos fue contrastado
así que finqué cansado
80 del sueño que me vençía.

[XI]

E dormi, maguer con pena,
fasta en aquella sazón
que comiença Filomena
la triste lamentación
85 de Teseo e Pandión,
quando ya demuestra el polo
la gentil cara de Apolo
e diurna enflamación.

[XII]

Así prise mi camino
90 por vereda que ynorava,

76   En *M* "que las tiniebras traía".
77   En *A* "qu' el proposito".
78   En *A* "por esto".
81   *M* "E dormí, pero con pena".
85   Hasta la hora del canto del ruiseñor. Es la fábula de
Filomena: Progne, esposa de Teseo, quiso vengar el atropello
que éste cometió con su hermana Filomena, y le dió a comer
su propio hijo; al querer éste castigar a Progne, fué convertido en gavilán, Progne en golondrina y Filomena en ruiseñor.
86   En *M* "al tiempo que muestra el polo".

esperando en el divino
misterio a quien ynvocava
socorro. Yo que mirava
en torno por el salvaje
95   vi venir por el boscaje
un puerco que se ladrava.

[XIII]

¿Quien es que metrificando
por coplas nen distinciones,
en metros nin consonando,
100   tales diformes visiones
sin multitud de rrenglones
el su fecho dezir puede?
Ya mi seso retroçede
penssando en tantas raçones.

[XIV]

105   ¡O sabia Tesaliana!
Si la virgen Atalante

---

94   "Selvaje" en *M*.
95   En *A* "vi correr en el buscaje"; en *M* y en Amador
"vi andar por el boscaje".
96   El Marqués sustituye por un puerco la terrible pan-
tera de Dante: "Una lonza leggiera e presta molto | che di
pel maculato era coverta", *Inf.*, I, 32-33.
99   En *A* y *M* y en Amador "en prosas".
104   En *M* y en Amador "penssando tantas raçones".

de nuestra vida mundana
puede ser que se levante,
quiría ser demandante,
110 guardante su cirimonia,
si el puerco de Calidonia
se mostró tan admirante.

[XV]

Pero tornando al vestiglo
e su diforme figura,
115 digna de ser en el siglo
para siempre en scriptura,
digo que la su fechura,
maguer que de puerco fuese,
nunca fué quien jamás viese
120 tal braveza en catadura.

---

107 En *A* y *M* "a nuestra vida".
108 *M* y Amador "es posible se levante".
109 *A* "querría ser", *M* "yo sería".
110 *A* "guardando", *M* "con devida cirimonia".
111 El jabalí de Calidón, muerto por Atalante y Meleagro, tan citado por los trovadores. Mena le confunde con el jabalí del Eurimanto: "Alçides casi del todo ocupada | a fuer de montero con maça clavada, | bien como quando librava en el siglo | los calidones del bravo vestiglo | e la real mesa de ser ensuziada", *El Lab. de Fort.*, 65.
114 En *M* "fechura".
117 En *M* "figura".
119 En *A* "que non es quien jamás viese"; en *M* "ya non es quien jamás viese".
120 En *M* "tal braveza e catadura".

[XVI]

E como la flama ardiente
de sus çentellas embía
en torno, de continente
de sus ojos paresçía
125   que los rayos [desparçía]
a do quier que rreguardava
e fuertemente turbava.
a qualquier que lo seguía.

[XVII]

E como quando ha tirado
130   la bonbarda en derredor
finca el co[r]ro poblado
de grand fumo e negror,

---

121 En *M* "Bien como la flama".

125 *Y* "que los rayos que esparçía"; *M* "que sus rayos desparçía", *A* "que los rayos desparçía".

126 *Reguardar como mirar:* "Ya reguardamos el çerco de Mares | do vimos los reyes en la justa guerra". Mena, *El Lab. de Fort.*, 138: "Ya reguardava con ojos leales | los dignos triunfos del signo presente", Juan de Padilla, *N.ª B.ª de AA. E.*, 19, 317; "Mi guía reguarda mi cara turbada", ibídem. 363: "Ya reguardava después de subido | como subía por el orizonte | el cándido carro que tuvo Faetonte", ib., 369.

128 *M* "a quien menos lo temía".

131 En *M* "queda el corro muy poblado", lección que sigue Amador.

132 *A* "del muy gran fumo et negror", *M* y Amador "del su grand fumo e negror".

bien de aquel mismo color
una niebla le salía
por la boca, a do bolvía
demostrando su furor.

135

[XVIII]

E bien como la saeta
que por fuerça e maestría
sale por su liña [reta]
do la vallesta la envía;
[por semejante] fazía
a do sus puas lançava;
asi que mucho espantava
a quien menos las temía.

140

---

133 *A* "bien d'aquel mesmo color".

135 *M* "por la boca, do volvía".

137 El *bien como* era la fórmula obligada de las comparaciones: "Bien como los lobos aullan gimientes", Juan de Padilla, *N.ª B.ª*, 19, 318: "Bien como el que quiere entrar | do s'espera el gran despojo", Hernán Mejía, ib., 272; "Que bien como nuevos pimpollos de oliva | florescen en torno de nuestra presencia", Mena, ib., 199; "E bien como Ganimedes | al cielo fue rebatado", *Infierno*, LXVIII; "E bien como el que por yerro | de crimen es condepnado", ib., L.

139 "Recta" en *Y* es ortografía culta que no se guardaba en la pronunciación.

141 En *Y* "así mismo fazía", que hace mal verso; por eso preferimos aquí la lección de *A* y *M*.

143 "Turbava" en. *M*.

144 En *A* "a quien menos lo temía"; en *M* "a todo onbre que lo vía".

[XIX]

145   Estando como espantado
del animal monstruoso,
vy venir açelerado
por el valle f[r]onduoso
un omme, que tan fermoso
150   los vivientes nunca vieron,
nin aquellos qu'escrivieron
de Narçiso, el amoroso.

[XX] *

[De la su grand fermosura
no conviene que más fable,
155   e por bien que la escritura
quisiesse lo razonable
recontar, enestimable
era su cara, luziente,
como el sol en orïente
160   ffaze su curso agradable.]

---

145   En *M* "Estando muy espantado".
148   "Fonduoso" en *Y* es errata, como lo prueban las lecciones de *A* y *M*.
149   Pasaje inspirado en la aparición de Virgilio de Dante, *Inf.*, I.
   *   Esta estrofa falta en *Y*, que suplimos según la lección
de *A*.
155   En *M* "ca por bien que la escriptura".
159   En *M* "como el sol que oriente"; Amador "como el
sol quando en oriente".

[XXI]

Un palafrén cavalgava
muy ricamente guarnido;
la [su] silla demostrava
ser fecha de oro bruñido;
165   un capirote vestido
sobre una rropa bien fecha,
traía la manga estrecha
a guisa de omme entendido.

[XXII]

Traía en su mano diestra
170   un venablo de montero,
un alano a la siniestra
muy fermoso e más ligero;
e bien como cavallero
animoso o de coraje,
175   venía por el buscaje
siguiendo el vestiglo fiero.

---

163   En *Y* y *A* "la silla demostrava": como se ve, al verso
falta algo, que bien pudiera ser la "e" del códice *M* o el "su"
que suplimos; V. el verso 198.
167   En *A* y *M* "traía de manga estrecha".
168   En *A* "de ombre".
169   *A.* "Levava".
172   *A* y *M* "fermoso et mucho ligero".
174   *M* "animoso e de coraje".
175   *M* "aquexava su viaje".

[XXIII]

Nunca demostró Cadino
el [deseo] tan ferviente
de ferir al serpentino
de la humana simiente,
nin Perseo tan valiente
se mostró, quando conquiso
las tres hermanas que priso
con el escudo enminente.

[XXIV]

E desque vido el venado
e los canes que fería,
soltó muy apresurado
al alano que tra[í]a:
e con muy grand osadía
bravamente lo firió;
así que luego cayó
con la muerte que syntía.

180

185

190

---

177   *A* "Non demostrava Cadino"; *M* "Non se demostró
Cadino".
178   *Y* "el defeto"; *A* "el deseo"; *M* "con desseo".
180   "Simente" en *A* es error.
184   *A* "con el escudo eminente"; *M* y Amador "con tarja
resplandeciente". Se refiere al escudo de Minerva.
185   Malamente en *A*, "Quando vió el venado".
186   *M* y Amador "e los dapnos que façía".
191   *A* "ansi".

[XXV]

E como el que tal ofiçio
lo más del tiempo seguía
195 sirviendo d'aquel [serviçio]
que a sudiesa cumplía,
acabó su montería;
falagando los sus canes,
olvidando sus afanes,
200 cansancio e malenconía.

[XXVI]

Por saber más de su fecho
delibré de lo fablar,
e fuyme luego derecho
para él syn más tardar;
205 e maguer que avisar
yo me quisiera primero,

---

193 *A* "E como el quel"; *M* y Amador "E como quien".
195 "Oficio" en *Y* es confusión del escriba con el del primer verso: en *A* y *M* "serviçio".
196 Así *Y* y *A* en *M* "que a su deessa plaçía".
198 *M* "e falagando los canes".
199 Así *Y* y *A;* *M* y Amador "olvidando los afanes".
200 *A* "cansancio, malenconia"; *M* y Amador "e cansancio que traía"
202 Así *Y* y *A;* *M* y Amador "delibré de le saluar".
205 *M* y Amador "e ya sea que avisar".

antes se quitó el sonbrero
que le pudiese saluar.

[XXVII]

E con alegre presençia
210   me dixo: "[Muy] bien vengades."
E yo con grand reverençia
respondí: "De la que amades
vos dé Dios, si deseades,
plazer e [buen] galardón,
215   segund fizo a Jasón,
pues tan bien vos razonades."

[XXVIII]

Replicó: "Amigo, non curo
de amar nin ser amado,
ca por Júpiter os juro
220   nunca fuy enamorado;

---

207 *A* "antes se quitol sonbrero"; *M* y Amador "antes
se tiró".
208 *M* "fablar".
210 Falta "muy" en *Y*, que suplimos según la lección
de *A* y *M*.
212 *M* "de quien amades".
214 *Y* "plazer e galardón"; *A* "plazer et buen gualardón".
215 *A* "segund que fizo".
217 *A* "Respondió"; *M* y Amador "Amigo (dixo)".
219 *A* "e por Jupiter"; *M* y Amador "e por Diana".
220 *A* "que nunca"; *M* y Amador "yo nunca".

[e] bien quel Amor de grado
asayó mi fantasía,
mas, por saber su falsía,
guardeme de ser burlado."

[XXIX]

225   Yo le pregunté: "Señor,
[¿qué es] esto que vos faze
tan rrotamente d'Amor
dezir esto que vos plaze?
¿es que non vos satisfaze
230   serviçios que le fezistes,
o por qual razón dexistes
que su fecho vos desplaze?"

---

221   *M* "e maguer que Amor"; *Y* "bien quel Amor"; *A* "e bien quel Amor".
222   *M* "procuró mi compañía".
223   *A* "pero viendo su falsía"; *M* y Amador "vista por mí su falsía"; "la su falsía" en *Y* es evidente errata del copista.
224   *A* y *M* "me guarde".
225   Así *Y* y *A*; *M* "Yo le repliqué".
226   *A* "¿ques aquello?"; *M* "ques aquesto"; erróneamente en *Y* "ques esto".
227   *M* y Amador "tan sueltamente".
228   *M* y Amador "blasfemar e así vos plaçe".
230   *A* y *M* "serviçio si le fezistes".
231   *A* "dixistes".
232   "Que de su fecho" en *Y* es mala yuxtaposición de dos lecciones, "que su fecho" de *A* y *M* y "de su fecho" de algún códice.

[XXX]

Dixo: "Amigo, non querades
saber más de lo que digo;
235   que si bien consideredes
más es obra de enemigo
apurar mucho el testigo,
[que d'] amigo verdadero:
mas, pues queredes, yo quiero
240   dezir por qué lo non sigo.

[XXXI]

Cyerto, soy nieto de Egeo,
fijo del duque de Athenas,

---

235 *A* "e si bien"; *M* y Amador "ca si bien".
238 La lección de *Y* "del amigo" la sustituímos por la
de *A* y *M* "que d'amigo".
240 *A* y *M* "non lo sigo".
241 Como Virgilio en la *Divina Comedia*, *Inf.*, I, 67-78,
cuenta Hipólito su origen. *A* "Yo so nieto de Ageo"; *M* y
Amador "Yo soy nieto de Egeo".
242 Teseo. Pudiera parecer aquí la denominación de *duque*
un anacronismo, una impropiedad del autor, que conservaría
en su memoria la reciente creación del ducado de Atenas;
pero no hay que apelar a esta explicación, sabiendo que esta
palabra tenía además la acepción de *jefe* o *guía*: "Ya com-
pañera de aquel gran Atrides | duque de todas las grecianas
lides", Mena, *El Lab. de Fort.*, 102; "Miguel arcangel, duque glorioso", Santillana, *Soneto* XXXVI; "Oy de philoso-
phía | natural, | la ética moral | ques duquesa que nos guía",
Santillana, *Bias*, CXXVI.

aquel que vengó á Tideo,
ganando tierras ajenas;
e soy el que las cadenas
de Cupido quebranté,
e mis naves levanté
sobre sus fuertes entenas.

[XXXII]

Ipólyto fuy llamado
e morí segund murieron
otros, [non] por su pecado,
[que] por fenbras padesçieron.
E los dioses, que sopieron
como yo non fui culpable,
danme siglo deletable
como a los que dignos fueron.

[XXXIII]

E Dïana me depara
en todo tiempo venados,

---

247 *A* "e mi nave"; *M* y Amador "e mi mano".
251 *Y* "otros que", pero preferimos la lección de *A* y *M*.
252 *A* "que por fenbras"; *M* "que por donas"; *Y* "por fenbras".
253 *A* y *M* "mas los dioses".
254 *A*, *M* y Amador "como non fuesse".
255 *A* y *M* "me dan". Diana, valiéndose de Esculapio, le devolvió la vida, que había perdido por mostrarse esquiva a la pasión de su madrastra Fedra.

                e fuentes con agua clara
260   en los valles apartados;
                e arcos amaestrados,
                con que fago çiertos tiros,
                e çentauros et satyros
                me demuestra en los collados.

                        [XXXIV]

265   Mas [pues] yo vos he contado
                el mi fecho enteramente,
                querría ser informado,
                señor, si vos es plaziente,
                a por qual ynconviniente
270   venistes, o qué fortuna
                vos traxo sin causa alguna
                a este siglo presente.

---

262 *M* "faga".
263 *Satiros*, como en otros lugares; "Tendiendo las redes,
faziendo sus tiros | eran así mesmo faunos e satyros", San-
tillana, *Ponza*, xcɪɪɪ.
264 *A* "que m' enseñan los collados"; *M* "que me en-
señen".
265 *A* "Mas pues vos he contado"; *M* "E pues que"; *Y*
"Mas yo vos he contado". Posible es que junto a *yo* omitiera
el copista un *pues*, que suplimos.
267 *A* "quiero yo".
269 *A* "que por qual ynconveniente"; *M* "de quales tierras ó gente".
270 *A* "venides"; *M* y Amador "partides".
271 *M* "trayó".
272 *A* y *M* "en este siglo".

[XXXV]

Ca non es omme del mundo
que éntre, nin sea osado,
275 en este centro profundo
[e] de gentes separado,
si non el infortunado
Cefalo, [el] que refuxo,
[e al] qual Dïana truxo
280 en el su monte sagrado.

[XXXVI]

E otros que ovo en ⌈Grecia⌉
que la tal vida siguieron
⌈e⌉ segund fizo [Lucrecia]
por castidat perescieron:

---

275 *M* "en este lugar".

276 *Y* "de gentes": como en *M* suplimos "e", que parece faltar.

278 *A* y *M* "que refuyó", con lo cual se salva el verso, sin embargo, consorvamos "refuxo", supliendo "el" para la medida, porque es probable que una forma tan común hasta el siglo XV estuviese en el original.

279 *A* "al qual Diana trayó": *M* da la misma lección, pero corrige "trayo" por "traxo", con lo cual destruye el verso.

281 *Y* "Grescia"; *M* "Otros que ovo".

282 *A* y *M* "que la tal vía".

283 *Y* "segund fizo Lucrescia"; *A* y *M* "e según".

284 *Y* "que por castidat", pero el "que", confusión del copista con el otro del segundo verso, es innecesario; *M* "por castidat padesçieron".

285   los quales todos vinieron
      en este lugar que vedes
      e con sus canes e redes
      facen lo que allá fezieron."

                [XXXVII]

        Respondí: "De la partida
290   soy do[nde] nasçió Trajano;
      e Venus, que non olvida
      el [nuestro] siglo mundano,
      me dió se[ñ]or[a] tenprano
      en la jovenil hedat,
295   do perdí mi libertad,
      e me fize sofragano.

---

288 A "fizieron".
289 *Partida* en la acepción de *país* o *patria:* "Guadal-
quivir arribando | vy andar en la ribera | con un gavilán
caçando | una donzella señera; | luego conosçí que era | de
muy estraña partida", Imperial, *Baena*, núm. 248.
290 *Y* "do nasçió", pero el metro hace preferible la lección
de *A* y *M.*
292 *Y* "el mi siglo", y así parecen indicarlo el "me" y el
"mi" de los versos siguientes; pero *A* y *M* y el metro inclinan
a la forma "nuestro".
293 *Y* "sennor", pero "señora" en los demás códices. La
forma *señor* era frecuente en el antiguo castellano, pero la
forma femenina, de creación castellana, se encuentra alternando con la original desde los primeros documentos.
296 *A* "sufragano".

[XXXVIII]

La fortuna, que trasmuda
a todo omme sin tardança
e lo lieva do non [cuda]
desque buelve la balança,
quiere que faga mudança,
e tróxome donde vea
este lugar, [por]que crea
que amar es desesperança.

[XXXIX]

Pero en esto es engañada
en pensar por tal razón
que yo faga mi morada
donde no es mi entención,

---

297 *A* "E fortuna"; *M* "E ventura".
299 *Y* "cuyda", contra la rima. *Cudar* en la acepción de
pensar o desear: "Yo que veo | el contrario, e non lo creo | nin
es sabio quien lo cuda", *Bias,* XVII; "Muchos murieron en
honra | non lo dudo, | e non pocos segunt cudo, | abatidos
con deshonra", ib., XXXVII.
300 *A* y *M* "su balança".
302 *A* "e me traxo"; *M* y Amador "e trayome".
303 *Y* "este lugar que crea"; pero "porque" *A* y *M*.
305 *M* "Pero es bien engañada".
306 *M* "si pienssa".
307 *M* "que yo fiçiesse morada".
308 *A* "do non es mi entención"; *M* "do non es la mi
entención".
309 *A* "car".

ca de cuerpo e coraçón
310   me soy dado por syrviente
a quien dize que non siente
mi trabajo e perdiçión."

[XL]

Una grand pieça cuydando
estovo en lo que dezía,
315   e después, como dudando,
"¡Ay (dixo), qué bien sería
que siguiésedes mi vía,
por ver en qué trabajades
e la gloria que esperades
320   en vuestra postremería!"

[XLI]

E maguer que yo dubdase
el camino ynusitado,

---

311   *M* "a quien dixe"; Amador "a quien creo".
312   *A* y *M* "mi cuydado".
313   *Grand pieça*, frase de tiempo, como *largo rato;* "Non
uses tu arnés por una grant pieça", Maestro Fray Diego,
Baena, núm. 500; "Entramos en su fabla grand pieça esto-
vieron", *Fernán González*, ed. de Carrol Marden, 612 c. *Cui-
dar*, como el anterior *cudar*, en significación de *pensar;* "E
non pienses al nin cuydes", Santillana, ed. de Amador, p. 451;
Cuydé que olvidado | Amor me tenía", *Serranilla*, IX.

cuydé, si lo refusase,
que me fuesse rreprovado;
325 [le] dixe luego: "Pagado
soy, se[ñ]or, de vos [seguir]
non çessando de [servir].
Amor, a quien me soy dado."

[XLII]

Començamos de consuno
330 el camino peligroso
por un valle [como enpruno]
áspero, mucho fragoso,
e sin punto de rcposo
aquel día non çesamos
335 fasta tanto que llegamos
en un castillo espantoso.

---

323 *A* "cudé"; *M* "si lo recusase".
325 *A* "assi que dixe"; *M* "asi le dixe"; *Y* "dixe luego".
326 Evoca esta respuesta la que Dante da a Virgilio.
Inf., I ,133: "Che tu mi meni là dov'or dicesti." *Y* "servir".
327 *Y* "seguir".
328 *Y* "al Amor", pero "Amor" en *A* y *M*. Después de
esta estrofa *A* pasa a la *L*.
329 Como en la *Divina Comedia*, el poeta sigue a su guía:
"Allor si mosse, e io gli tenni dietro", *Inf.*, I, 136.
331 *Y* "por un valle fonduoso", erróneamente; *M* "como
enpluno".
332 *A* "espesso, mucho fragoso"; *M* "espesso e mucho
fragoso".
336 *A* "a un castillo".

[XLIII]

Al qual un fuego çercava
en torno como fonsado,
que por bien que remirava
340　de qual guisa era labrado,
el fumo desordenado
del todo me reg[i]stía
así que non disçernía
cosa de lo fabricado.

[XLIV]

345　[E] como el que rretrayendo
afuera se va del muro,
e del taragón cubriendo
temiendo el conbate duro,

337　*Y* y *A* "Al qual"; *M* "El qual".
338　*A* y *M* "fossado".
339　*A* y *M* "e por bien".
340　*M* "de qué guisa"; *A* "de guisa", pero luego añadido "que".
342　*Y* "regostía"; *A* y *M* "resistía". *Registir* en *El sueño*, IV.
343　*Discernir* igual que *distinguir*, hablando de cosas materiales: "Fendiendo la lumbre, yo fuy discerniendo | unas ricas andas e lecho guarnido", Santillana, *Defunción*, XVIII.
344　*M* "punto de lo fabricado".
345　*Y* "Como"; *A* y *M* "E como".
347　*Taragón* era la *tarja* o broquel grande. El copista de *A* puso "taragón", pero no entendiéndolo, lo corrigió y puso "dargón".

desqu' el fumo tan escuro
350 yo vi, fize tal senblante,
fasta quel fermoso infante
me dixo: "Mirad seguro;

[XLV]

Toda vila covardía
conviene que desechemos,
355 e yo [seré] vuestra guía
fasta tanto que lleguemos
al lugar do fallaremos
la desconsolada gente,
que su desseo firviente
360 les puso en tales estremos.

[XLVI]

Ca non es flama quemante,
como quier que le paresca,

---

349 *M* "el fuego".
350 *M* "fin aquel"
352 Amador, siguiendo como siempre a *M*, pone a continuación la estrofa XLVI.
353 *A* y *M* "E toda vil cobardía". *Vila* por *vil*, como *insignas gentes* y otras formas análogas.
355 *Y* "e yo faré vuestra guía"; *A* y *M* "sere". *Vuestra guía* con valor de femenino, como los nombres de cosas personificadas en la antigua lengua: "La hora nocturna se muestra patente | buscando la vista de las atalayas, Juan de Padilla, *N.*ª *B.*ª 19, 358.
360 *M* pasa de esta estrofa a la XLVIII.
361 *A* "E non es flama".
362 *M* "que vos paresca"; *A* "parecça", errata clara, por "pareçoa".

esta que vedes delante,
nin ardor que vos enpesca.
365   Ardimiento non p[e]resca,
e, seyendo diligente,
pasemos luego la puente
antes que más da[ñ]o cresca."

[XLVII]

Entramos por la barrera
370   del alcaçar bien murado,
fasta la puerta primera
[a] do vi estretallado
un título bien obrado
de letras que conclu[í]a:
375   "EL QUE POR VENUS SE GUÍA
ÉNTRE A PENAR LO PASADO".

---

364   *Empecer*, como *molestar* e *impedir:* "Sy viene el verano con grandes calores | non les enpece con aguas e olores",
Ferrant Calavera, *Baena*, núm. 529; "Maguer mi consejo non
tenga provecho | á vos en tomar lo enpece muy poco", Maestro Fr. Diego, *Baena*, núm. 258. En *A* "enpeçca".
365   *A* "pereçca"; *M* "fallesca"; en *Y* "paresca" es errata.
366   *A* "e seguitme".
368   *M* "ante que más dapno cresca".
372   *Y* "do vi"; *A* "a donde vi"; *M* "a do yo vi entallado".
376   "Lo pasado" en *Y* y *A*; "su pecado" en *M*. Santillana
recordaba la terrible inscripción que Dante leía sobre la
puerta del infierno: "Per me si va nella città dolente...",
Inf., III, 1-9.

[XLVIII]

Ipólito me guardava
la cara cuando leía,
veyendo si la mudava
con temor que me ponía:
e por cierto presumía
que sí fuese atribulado,
syntiéndome por culpado
de lo que allí se entendía.

[XLIX]

Díxome: "Non rresçeledes
de penar, maguer vcades
en las letras que leedes
estrañas contrariedades:
ca el título que mirades
al ánima se dirije;

379 *A* y *M* "veyendo que".
380 *Y* "con el temor que me ponía"; *A* "con temor que me pungía".
382 *A* y *M* "que yo fuese atribulado".
384 *A* "se dezía"
385 Como en Dante, el poeta se altera al leer la pavorosa inscripción "Maestro, il senso lor m' è duro"; y su guía le anima "Qui si convien lasciare ogni sospetto".
386 Así en *Y* y *A*; *M* "de pasar".
388 *M* "algunas contrariedades".
389 *A* "car el mote"; *M* "que el título".

tanto quel cuerpo la rrige
de sus penas non temades.

[L]

E bien como el que por yerro
de crimen es [condenado]
395 a muerte de cruel fierro,
e por su ventura o fado
de lo tal es delibrado,
e retorna en su salud,
así fi[có] mi virtud
400 como en mi primero estado.

[LI]

Entramos por la escureza
del triste lugar ete[r]no,
a do vi tanta graveza
bien como en el ynfierno.

---

392 *A* pasa a la estrofa LVIII.
393 *A* "e como el que por yerro".
394 *Y* "denunciado"; *A* y *M* "condenado".
397 *A* "relevado"; *M* "revelado".
399 *Y* "asi fize en mi virtud"; *A* y *M* "asi fizo mi virtud".
400 *Y* "como en el mi primero estado"; *A* y *M* "en el mi primero estado".
402 *Y* "eteno".
404 *Y* "bien así como"; *M* "como dentro".

405 Dédale, [quel] grand quaderno
[obró] de tal gumetría,
por çierto aquí çesaría
su saber, si bien disçierno.

INVOCACION

[LII]

¡O tú, Planeta diafano
410 que con tu cerc[o] loziente
fazes al arco mundano
clarífico e prepoliente!
Señor, [a]l caso evidente
tú me influ[ye] poesía,
415 porque narre sin falsía
lo que ví en modo eloqüente.

---

405 Y "al grand quaderno"; A "quel grand caverno";
M "quel grand claverno".
406 Y "orbe de tal gumetría"; M "obró de tal maestría".
407 Así en Y y A; pero M "dubdaría".
408 M "discerno".
409 A "O gran Planeta".
410 Y "cercu".
411 M "el orbe".
412 A "proponente"; M "propolente"; Amador "propa-
lente".
413 Y "el caso"; A "el caso"; M "al caso presente".
414 Y "influme".
416 A "a modo eloqüente"; M "discretamente".

[LIII]

[Non] vimos al can Cervero
[a Minos] nin a Pl[u]tón,
nin las tres fadas del fiero,
420   llanto de grand confusión;
mas Felis e Demofón
e Canace e Macareo,
Heuródize con Orfeo
vimos en una mansión.

[LIV]

425   Vimos Paris con Thesena,
e vimos Eneas e Dido;

---

417 *Y* "Y vimos"; *A* "nos vimos"; *M* "no vimos".
418 *Y* "antimos nin a Platón"; *A* "a Minos nin a Platón".
419 Las parcas: "Vi los tres fados; a Cloto el primero | Lachesis segundo, Atropos tercero", Mena, *El Lab. de Fort.*, 71.
421 *Y* "e mas"; *A* "Demonfón". Demofoón, burlador de Filis, hija de Licurgo de Tracia.
422 *Y* "e a Macareo"; *A* "e Camaca et Macareo". Canace, cantada por los poetas por sus incestuosos amores con su hermano Macareo.
423 *A* "Erúdice". Eurídice, mujer de Orfeo, a quien éste intentó sacar de los infiernos.
425 *Y* "a París"; *M* "Vimos Poris"; Poris y aun Pirus era forma frecuente: "Mienbrame de Poliçena | quando Pirus la mató", Villasandino, *Baena*, núm. 71. Tesena ¿es Helena, mujer de Teseo?
426 *Y* "e vimos a Eneas e a Dido"; *M* "vimos Eneas".

e con la fermosa Elena
el su segundo marido;
e más en el dolorido
tormento vimos a [Ero]
con el su buen compañero
en el lago paresçido.

[LV]

Ar[qu]iles e Poliçena,
[e] Ipremestra con Lino,
e la doña de Rrevena,
de quien fabla el Florentino,
vimos con su amante, dino
de ser en tal pena puesto;
e vimos, estando en esto,
a Semíramas con [N]ino.

427 Así en *Y* y *A; M* "e la muy fermosa".
428 Teseo. En *M* "con el segundo".
430 *Y* "Nero".
431 Leandro, que murió ahogado en el Helesponto al ir
nadando a visitar a su amante Ero.
433 *Y* "Archiles", que era la forma más común entre los
trovadores.
434 *Y* "Ypremestra con Lino"; *A* "e a Ypremesta".
Hipermnestra, esposa de Linceo, a quien salvó la vida, des-
obedeciendo a su padre Danao.
435 Así en *Y* y *A*. Francisca de Rímini, inmortalizada
por Dante, *Inf.*, V.
436 Así en *Y* y *A; M* "fabló".
440 *Y* "Yno". Nino, esposo de Semíramis. "Ell'e Semi-
ramis, di cui si legge | che sugger dette a Nino, e fu sua
sposa", *Inf.*, V, 58-59. La acentuación aguda tiene ejemplos:
"Si bien sus males sentís | todas son Semíramís", Hernán
Mejía, *N.ª B.ª de AA. E.*, 19, 282.

[LVI]

Alinpas de Maçedonia,
madre del grand batallante,
Ulixes, [Circe], Paus[o]nia,
Trisbis con su buen amante,
Ercoles, e [Atalante]
vimos en aquel tormento,
e otros que non rrecuento,
que fueron después e ante.

[LVII]

E por el siniestro lado
cada qual era ferido
en el pecho, muy llagado,
de grand golpe dolorido;
por el qual fuego ençendido
salía, que los quemava;

445

450

---

441 Olimpias, mujer de Filipo, madre de Alejandro Magno.
443 *Y* "Ulixes, cerca de Pausinia". *A* "Ulixes, Circe, Pansovia". Circe, amante del dios Glauco.
444 *A* "Trisbe". Tisbe, amante de Píramo.
445 *Y* "Ercoles e Reoante"; *A* "e Ariolante"; *M* "Ercoles, Io, Athalante". Atalanta, esposa de Hipomene, convertidos por Minerva en leones
446 *A* "turmento".
447 Así en *Y* y *A*; *M* "e muchos".
451 Así en *Y* y *A*; en *M* "en el pecho e muy llagado".

455 presumid quien tal pasava
si deviera ser nasçido.

[LVIII]

Con la grand pena del fuego
tristemente lamentavan;
pero que tornavan luego
460 e muy manso raçonavan;
e por ver de qué tratavan,
mi paso me fui llegando
a dos que vi rrazonando
que en nuestra lengua fablavan.

[LIX]

465 L[a]s quales de que me vieron
e sintieron mis pisadas,
una a utra se bolvieron
bien como maravilladas.

---

456 La desesperación de éstos evoca la de los enamorados de Dante: "Questi non hanno speranza di morte",
Inf., III, 46. A continúa en la estrofa XLII.

457 *A* y *M* "E con la pena del fuego".

459 *Pero que* como *aunque:* "García amigo, ninguno te
espante | pero que te diga que muyto perdiste | desque en
Mahomad tu creençia posiste", Villasandino, *Baena*, núme-
ro 107; "Mi amigo desposado, | pero que nasçí tenprano, | ese
exenplo muy anciano | luego tiempo ha pasado | que lo tengo
platicado", Villasandino, *Baena*, núm. 113.

462 Así en *Y, A* y *M; Amador* "muy passo".

"¡O ánimas afanadas,
470   (yo les dixe), que en Espa[ñ]a
nasçistes, si no me enga[ñ]a
la fabla, o fuystes criadas!

[LX]

Dezidme ¿de qué materia
trata[des] después del lloro
475   en este linbo [e] miseria,
do Amor faze su thesoro?
esa mismo vos inploro
que sepa yo do nasçistes,
cómo o quando venistes
480   en [el] miserable coro?"

[LXI]

E bien como la serena
quando plañe a la marina,

---

465   Y "Los quales animas de que me vieron"; A "Las quales desque me vieron"

467   A y M "una a otra"; Y "unas a otras".

472   A "do fuestes criadas".

474   Y "tratais"; A y M "tratades".

475   Y "linbo de miseria"; A "linbo et miseria".

476   Así en Y y A; M "fiço".

477   Así en Y y A; M "asimesmo".

478   Así en Y y A; M "que yo sepa".

479   A "e como o quando"; M "e como e por qué".

480   Y "en este"; A y M "en el".

481   Serena era la forma corriente: "En el próspero tiempo las serenas | plañen e lloran resçelando el mal", Santi-

començó su cantilena
la una ánima mezquina,
diziendo: "Persona dina,
que por el fuego pasaste,
escucha, pues preguntaste,
si piedat [algo] te inclina.

[LXII]

La mayor cuyta que aver
puede ningund amador
es nenbrarse del plazer
en el tienpo del dolor;
e maguer que el ardor
del fuego nos atormenta
[mayor dolor] nos aumenta
esta tristeza e langor.

---

llana, *Soneto* XX; "Que condena a grant pena | e deslena
la serena | con muy dulce cantar", García de Vinuesa, *Baena*, núm. 382; "Solamente con cantar | diz que engaña la
serena", Mena, *N.ª B.ª de AA. E.*, 19, 189.

485   *Y* "digna".

488   *Y* "del alto"; *A* y *M* "algo".

492   El poeta traduce la lamentación que *Francesca* profiere cuando Virgilio les interroga: "Nessun maggior dolore |
che ricordarsi del tempo felice | nella miseria". *Inf.*, V,
121-123.

493   Así *Y* y *A; M* "e ya sea".

495   *Y* "mucho más"; por el metro preferimos la lección
de *A* y *M*.

[LXIII]

[E] sabe que non tratamos
de los bienes que perdimos
e del gozo que pasamos,
500   mientra en el mundo vevimos,
[fasta tanto que] venimos
a arder en esta flama
[a] do non curan de [fama]
nin de las glorias que ovimos.

[LXIV]

505   [E] si por ventura quieres
saber por qué soy penado
plázeme, porque si fueres
al tu siglo trasportado,
digas que soy condenado
510   por seguir d'Amor sus vías;

---

497 *Y* y *A* "Sabe"; *M* "E sabe que nos tractamos"; Amador "Ca sabe".
501 Así en *A* y *M*; *Y* "e por nuestras culpas".
502 *A* "a arder en esta llama"; *M* "a arder en aquesta flama".
503 Así en *A*; *Y* "do non curan de ufana", que destruye la rima; *M* "do non se curan de fama".
505 Así en *A* y *M*; *Y* "Si por ventura".
506 *Y* "soy tan penado".
509 *M* "fuy condenado".

e finalmente Maçías
en Espa[ñ]a fuy [nonbrado].

[LXV]

Desque vi su conclusión
e la pena abominable,
515 sin fazer luenga razón,
respondí: "Tan espantable,
es el fecho perdurable,
Maçías, que me recuentas
que tus esquivas tormentas
520 me fazen llaga incurable.

[LXVI]

Pero como el soberano
solo puede rreparar
en tales fechos, hermano,
plega te de perdonar:
525 que ya no me da lugar
el tiempo a que más me tarde."

---

512 *A* "en Espanya fuy nonbrado"; *Y* "que en Espanna
fui criado"; *M* "en España fuy llamado".
514 *A* "e la tan abominable"; *M* "y tal pena inextimable"; Amador "e la pena perturable".
515 *A* y *M* "larga".
517 Así en *Y* y *A*; *M* "abominable".
519 *A* "turmentas".
525 *M* "ca ya no me da logar".
526 *A* "el tiempo que más me tarde"; *M* "el tiempo que
me detarde".

Respondiome: "Dios te guarde,
el qual te quiera guiar."

[LXVII]

Bolvime por do veniera
530   como quien non se confía,
buscando quien me truxiera
en su guarda e conpañía;
[e] maguer que en torno avía
las ánimas que recuento,
535   non lo ví, nin fuy contento,
nin supe qué me faría.

[LXVIII]

[E] bien commo Ganam[e]des
al çielo fue rebatado
del águila que leedes,
540   segund vos fue demostrado,

---

529   *Y* "E bolvime por do veniera"; *A* "Bolvime por de fuera"; *M* "e volvime por do fuera".
531   Así en *Y* y *A*; *M* "truxera".
553   *Y* "maguer que en torno avía"; *A* "e maguer que en torno vía"; *M* "maguera qu'en torno vía".
535   *A* "fue".
537   *Y* "Bien commo Ganamides"; *M* "E bien como Ganimedes".
538   *Rebatar* en vez del actual compuesta: "o ¿quién los rebata en poca de ora?", Santillana, *Preg. de nobles*, V.
540   *A* y *M* "vos es".

bien así fuy yo levado
que non sope de mi parte,
nin por qual manera e arte
fuy de aquel centro librado.

[FIN]

545   Así que lo procesado
de todo amor me desparte;
nin sé tal que no se aparte
si no es loco provado.

---

541 *A* "bien ansí fue yo levado"; *M* "de tal guisa fuí robado".

542 *A* "car non supe".

543 *A* "nin por qual fortuna e arte"; *M* "nin por qual ragón nin arte".

544 *A* "fue d'aquel centro"; *M* "me vi de presso, librado".

546 *Despartir* como *apartar;* "No me culpés en que parto | de tu parte, | que tu obra me desparte | ay m' aparto", Alvarez Gato, *N.ª B.ª de AA. E.*, 19, 242.

547 *M* "que non sea parte".

[TRIUNFETE DE AMOR] *

OTRO TRACTADO E DEZIR DEL SEÑOR MARQUÉS DE SANTILLANA

[I]

Siguiendo el plaziente estilo
a la dïesa Dïana,
pasad[a], çerca dun filo,
la ora meridïana,
vi lo que persona umana
tengo que jamás no vió
ni Valerio que escrivió
la grand estoria romana.

---

* Libre imitación de los *Triumphi Cupidinis* de Petrarca. En la *N.ª B.ª de AA. E.*, 19, se repite, con variantes, como de Mena, p. 217, y de Santillana, p. 542.

2 *A* "a la gran dessa".

3 *Y* "pasado çerca dun filo"; *A* "pasada çerca dum filo"; *M* "passada o cerca d'un filo". Filo, por metáfora del punto de equilibrio de la balanza: "En el filo estava la lid espantosa. | así como el Febo en el medio día". Santillana, *Ponza*, LXXIX.

4 *A* "merediana".

7 Así *Y* y *A*; *M* "nin Petrarcha".

8 Así *Y* y *A*; *M* "de triumphal gloria mundana".

Titlo - Concornes y deciros

[II]

Ya salía el agradable
<small>10</small>   Mayo mostrante las flores
e venía el inflamable
Junio con [grandes] calores:
incesantes los discores
de melodïosas aves,
<small>15</small>   oí sones muy süaves
triples, contras e tenores.

[III]

Aflegido con grand fiesta,
[segudando] los venados,

---

9   *A* "Ya passava l'agradable"; *M* "Ya pasava el agradable".
10   *A* "ilustrante".
11   *A* "inflamable".
12   *Y* "Junio con sus calores"; *A* y *M* "con grandes".
13   *Discor* es un metro común entre los trovadores; pero su acepción no es bien conocida. Unas veces se llaman así los metros con rima interna en los impares: ("En el viso se me priso | con grant fuerça de amor | cuerpo liso muy enviso", *Buena*, núm. 506) ; otras parece ser el canto acompañado de la música ("En alto e en baxo cantavan discores | con los estormentos que dulçe tocavan", *Buena*, núm. 227).
15   Así en *Y* y *A*; *M* "unisonus".
18   Así *A* y *M*; *Y* "siguiendo", lección que destruye el verso. *Segudar* es voz conocida: "Fata Valençia duró el segudar", *Cid.*, 1148: "Con flecha tendida embraçava el arco, | segudando aquellas fasta las riberas", Santillana, *Ponza*, XCIII.

entrado en una floresta
20 de frescos e verdes prados,
dos coseres arrendados
çerca d' una fuente estavan,
de los quales nos distavan
los pajes muy arredrados.

[IV]

25 Vestían de azeytuní
cotas bastardas bien fechas,
de un fino carmesí
raso, las mangas estrechas;
las medias partes derechas
30 de vivos fuegos bordadas,
e las siniestras senbradas
de goldres llenos de flechas.

---

19 *A* "entré por"; *M* "entrando en".
21 Esto es, "dos corceles con riendas".
23 *Nos* por *no se; A* "distanya".
24 *A* "bien avillados"; *M* "bien arreados". *Arredrar* y
arredar por *retirarse:* "De merdezina | todo sienpre ya me
arriedo", *Baena*, núm. 392; "Y como las tienen muy arredra-
das de su parque y de sus estancias", Gonzalo Ayora, *Cartas*, II.
25 *A* "Vestiva de zeytuní"; *M* "Vestían de açeytuní".
Acceituní, tela de seda de color de aceituna.
27 *A* "et dun fino"; *M* "de muy fino".
30 *A* y *M* "brosladas".
32 Así *Y* y *A; M* "de trosas llenas".

[V]

Quise saber su vïaje,
[e] con toda diligençia
35   ·   abrevié por el boscaje
el paso sin detenencia.
Con rretórica eloqüençia
vinieron de continente
a me saluar sabiamente,
40   denotando su prudençia.

[VI]

Díxeles, [en] respondiendo
segund modo cortesano,
omillmente proponiendo:
45   "El Potente soberano
vos influya en el mundano
⌈orbe de⌉ felicidat
premio de rica bondat,
que es el galardón humano.

---

34 *A* y *M* "e con toda"; falta "e" en *Y*.
35 *A* "buscaje".
37 *A* "con retórica loquençia".
41 *Y* "Díxeles respondiendo"; *A* y *M* "en respondiendo";
el sentido sería "en respondiendo a su saludo, díjeles".
45 Mal en *A*, "en el mundo".
46 *Y* "onbre grand"; *A* y *M* "orbe de".
48 *A* "ques el gualardón".

[VII]

Pregunté sin dilación:
50   "Señores, ¿dó es vuestra vía?"
Mostrando grand afeción,
pospuesta toda fullía,
dixieron sin villanía:
"A nos plaze que [sepades]
55   aqueso que preguntades,
usando de cortesía.

[VIII]

Sabed que los trïunfantes
en grado superïores
onorables dominantes
60   Cupido, Venus, señores
de los nobles amadores,
delibraron su pasaje
por este espeso salvaje
con todos sus servidores."

---

51   A "poniendo grant afección".
52   A y M "follía".
54   Y "que fe avedes"; A y M "que sepades".
55   A "aquella"; M "aquesto"; Y "a aqueso".
60   Así Y y A; M "Cupido e Venus".
61   A "los leales"; M "de los leales".
63   A "buscaje"; M "selvaje".

[IX]

65   Non p[u]de aver conclusión
aunque los ví ser [pla]cientes
de me tornar responsión
con graciosos continentes,
por grant multitud de gentes
70 que entraron en la montaña:
ya tan fermosa conpaña
non vieron onbres bivientes.

[X]

    Non crió naturaleza
rreyes nin enpcradores
75 en la baxa redondeza,
nin dueñas dignas de onores,
poetas nin sabidores,
que non vi ser a[guar]dantes
a estos dos illustrantes,
80 dios [e dïesa d'amores].

---

65 *M* "no pude aver"; *Y* "non puede aver"; *A* "non
pued'aver".
66 *A* "aunque los vi ser plazientes"; *M* "aunque les vi
ser plaçientes"; *Y* "aunque los vi ser pacientes".
70 *A* y *M* "por la".
76 *M* "donas".
78 Así en *A* y *M; Y* "agradantes".
80 *A* "dios et deesa d'amores"; *Y* "dios de los amadores".

[XI]

Allí vi a magno Ponpeo
e a Çipión el Africano,
[a] Menbrot e [a] Perseo,
Paris, Etor el troyano,
85   Anibal, Urbio, Trajano,
Ar[qu]iles, Pir[r]o, Jasón,
Ercoles, Craso, Sansón,
[e] Cesar Otavïano.

[XII]

Vi al sabio Salamón,
90   Euclides, Séneca e Dante,
Aristótiles, Platón,
Virgilio, Oracio [amante]

---

81   A "al magno".
82   Falta "e a" en A.
83   Y "Menbrot e Perseo"; A "Menbrot vivo et Perseo".
85   A "Anibal, Cipio, Trajano" mal, pues va citado el
segundo nombre en el verso segundo. Urbio por Ulpio.
86   A "Ercules".
87   A "Archiles".
88   A "e Cesar Octaviano"; Y "Cesar e Otaviano". M
cambia toda la estrofa: "Vi Çesar e vi Pompeo, | Antonio
e Octaviano, | los centauros e Perseo, | Achiles, Paris tro-
yano, | Anibal de mano en mano, | con otros que Amor
trayó | al su yugo e sometió | agora tarde ó temprano."
90   Falta "e" en A.
91   A "Aristóteles y Platón".
92   Y "Oracio e Dante", que es errata, si no lo es el
"Dante" del segundo verso; A "oraçionante".

al astrólogo Atalante,
que los cielos sustentó
95   segund lo rrepresentó
Naso metaforisante.

[XIII]

Ví otros que sobreseo
por la grand prolixidad,
aunque manifiesto veo
100   ser de grand autoridad;
vi a la gran deïdad
diafana e radïante,
a quien jamás igualante
non vieron en dinidad.

---

93 *A* "el estrólogo".
96 *A* "metaforziante". *M* cambia la estrofa entera: "Vi
David e Salomón, | e Jacob, leal amante, | con sus fuerças
a Samson, | a Dúlida mas puxante: | de los christianos a
Dante, | vi Tristán e Lançarote, | e con él a Galeote | dis-
creto e sotil mediante." Para la acentuación *Dálida* véase
Amunátegui, *Acentuaciones viciosas,* p. 131.
97 Así en *Y* y *A; M* "Otros vi".
101 Así en *Y* y *A; M* "e ví la grand".
102 *A* "diafana et radicante". La acentuación *diafána*
tiene abundantísimos ejemplos: "diafana: mançana", Santillana, *Ponza,* CIII; "diafano: mundano", *Infierno,* LII; "diafana: castellana", *Cuartana del Rey don Juan,* IV; "diafana: explana", Santillana, ed. de Amador, p. 323.
103 *A* "con la qual otra".
104 *A* "non vi ser en dignidat"; *M* "non vi otra en dignidat".

[XIV]

105
En la qual se demostrava
ser monarca de potentes
prínçipes, que a sí levara,
e sabios muy trasçendentes:
vi[le] de piedras fulgentes
110
muy luçífera corona,
más clara que non la zona
de los signos transparentes.

[XV] *

Paresció luego siguiente
un carro triunfante, neto,

---

105 *A* "Cupido, el qual mostrava"; *M* "Cupido ,el qual se mostrava".

106 *Y* "de los potentes"; *M* "en los potentes"; *A* "sermonear eon los çientes".

109 Así en *A* y *M*; falta "le" en *Y*.

111 Así en *Y* y *A;* *M* "cándida, como la zona".

* El carro de esta estrofa recuerda el que Petrarca describe en su *Triunfo,* I: "Quattro destrier, vie più che neve bianchi; | sopra un carro di foco un garzon crudo | con arco in mano e con saette à fianchi."

114 *A* "triunfal neto"; *M* "triumphante e neto". *Neto* como *brillante, limpio.* "Los eclibses, las cometas, | las hachas bolando en flamas, | las estrellas netas, netas, | las figuras imperfetas, | el pino ardiendo sus namas", Hernán Mejía, *N.ª B.ª de AA. E.,* 19, 271; "Luego de súbito desaparece | dexando las auras olientes y netas, | como las rosas y las violetas | heridas del ayre después que amanece", Juan de Padija, ib., 360; "Nin de neta orfebrería", Santillana, *El sueño,* XVII; "De color de neta gemma de Tarsís", *Ponza,* LXXXVII.

115   de oro resplandesçiente
a modo fecho discreto:
por ordenança e decreto
dos señores arreantes,
quatro coseres amblantes
120   lo llevavan plano e reto.

[XVI]

En él por admiraçión
me quiso mostrar Fortuna
la grand clarificaçión,
más cándida que la luna,
125   Venus, [a quien] sola una
non vi por aquivalente
discreta, sabia, prudente,
digna de çelsa [tribuna].

---

116   A y M "fecho por modo discreto".
118   A "de duenyas bien arreantes"; M "de nobles donnas galantes".
119   A "quantro cavallos andantes"; M "quatro cavallos andantes".
120   A "lo tiravan llano et reto"; M "lo tiravan plano e reto".
121   Así Y y A; M "Do por más".
124   A y M "muy más cándida".
125   Así A y M; Y "el que".
126   A "no vi ser aquivalente"; M "non vi ser equivalente".
127   Así en Y y A; M "fermosa, sabia, exçellente".
128   Y "digna de çelsa coturna", que no rima; A "digna de çelsa tribuna"; M "dina d'exçelsa tribuna".

[XVII]

Ví ançillas sofraganas,
130   vestidas de la librea
d'aquellas [fle]chas mundanas
que mataron a Medea:
vi a la Pantasilea,
Dayni, Fedra, Adrïana,
135   vi la discreta troyana
Breçaida, [Dacne] Penea.

[XVIII]

Ví a Dido, Penelope,
Andrómaca, Pulicena,
ví a Felis de Rodope,
140   Ansiona et Filomena:

---

131   Y "d'aquellas fechas"; bien en A y M.
132   A "que enartaron"; M "que enastaron".
133   Pentesilea, reina de las Amazonas.
134   A "Daymira, Fedra, Diana"; M "Clitemestra e
Adriana". Dayni, Danae, madre de Perseo; Ariadne, hija
de Minos, mujer de Teseo.
136   Y "Dama"; A "Dacne"; M "Damne". Dafne, hija
del río Peneo, convertida en laurel por huir de la persecu-
ción de Apolo.
137   A "Vi a Dido et Penea Lope"; M "Vi a Dido e
Penelope". La misma acentuación y rima de Penelópe en
Ponza, CIV.
138   A "e Andrómaca". Andrómaca, mujer de Héctor;
Polixena, hija de Príamo.
139   A y M "Redope".
140   Alcione.

vi Cleopatra e Elena,
Semele, Clause, Enone,
ví Semeramís e Prone,
Ysifle, Palas e Almena.

[XIX]

145   Por espreso mandamiento
de la diesa honorable,
sin otro detenimiento
una dueña muy notable
enbraçó el arco espantable,
150   e firiome tan syn duelo
que luego ca[í] en el suelo
de ferida inrreparable.

[XX]

Me ví ferido a muerte
de la frecha infeccionada

---

141   A "vi Leopatra, Elena".
142   A "et Nove", que destruye la rima. *Clause*, Creusa.
143   Progne.
144   A "Sifle"; M "Ysifle, Yoles, Elena". *Ysifte*, Erífile?
Hipsipile, amante de Jasón? V. la Epist. VI de las *Heroidas*
de Ovidio.
146   A "dessa".
148   A "duenya"; M "donna".
149   A "embraçó l'arco"; M "embraçó un arco".
153   Y "Desque me ví"; A "Así ferido de muerte"; M
"E así ferido de muerte".
154   A "desta flecha 'nfecçionada".

155   de golpe terrible e fuerte,
que de mí non sope nada;
por lo qual fué ocultada
de mí la visyón que v[í]a,
e tornose mi alegría
160   en tristeza [in]fortunada.

[FIN] *

Non puede ser numerada
mi cuyta desde aquel día,
que ví la señora mía
contra mí desmesurada.

---

155   Mal en *A* "de golpes".
158   *Y* "veya".
160   *A* "en tristura fortunada"; *M* "en tristura infortunada"; *Y* "en tristeza afortunada".
*   Así en *A;* en M "Finida".

[EL SUEÑO] *

AQUÍ COMIENÇA OTRO TRACTADO QUE FIZO
EL SEÑOR MARQUÉS

[I]

Oigan, oigan los mortales,
oigan e prendan espanto,
oigan [este] triste canto
de las batallas campales,
quel amor tan desiguales
ordenó, por me prender:
oigan, si quieren saber
los mis ynfinitos males.

[II]

¿Qué vale humana defensa
a divino poderío?

---

* Así en *M*.
1 *M* "oigan, oyan".
3 *Y* "oigan el triste"; *M* "oyan este".
10 *M* "a destino, poderío".

El que asaya desvarío,
resçibir espera ofensa.
Desque la flama es estensa
e çircunda los [s]entidos,
15 sus remedios son gemidos,
cuyta e dolor ynmensa.

[III]

Mares, tú seas presente
inflamado, rubicundo,
pagado, non furibundo,
20 porqu'el tu favor sustente

---

11 *Asayar* como *intentar:* "Asayar de los guarir | es por
demás", Santillana,. *Bias*, XXIX; "Porque sobervios tenta-
ron | ofender, | al tonante Jupiter, | lo qual defecho asaya-
ron", *Bias*, CLVII: otras acepciones *acometer y resistir;* "E non
como quien asaya | de nuevo tus amenaças", *Bias*, XXXIII;
significados análogos a los del ant. *ensayar, Cid*, 3318.
14 *Y* "çentidos".
16 *M* "e cuyta, dolor inmensa".
17 *Mares*, forma común de los cancioneros por *Mars*,
Marte: "Ya reguardamos el çerco de Mares", Mena, *El
Lab. de Fort.*, 138; "Belígero Mares, tú sufre mi canto",
ib., 141; "Mares ovo parte en vuestra pitança", Diego de
Valencia, *Baena*, núm. 511: más rara es la forma original:
"Pues notas los puntos de Venus e Mars, | e de otro çinco,
ca non fallo más", *Baena*, núm. 479.
19 *Pagado* con el significado latino: "El que non tiene
sospecha, | seguro duerme e pagado", Villasandino, *Baena*,
núm. 551; "Que leyes nin fueros, saber ni escritura | non
adulçaron la vuestra amargura, | salvo que oviestes a Dios
muy pagado", Diego de Valencia, *Baena*, núm. 516.
20 *M* "porque tu favor".

la mi mano, e represente
el mi caso desastrado,
e mi coraçón plagado
con espada furïente.

[IV]

25   Commo yo ledo viviese
e sin fatiga mundana,
[e] la cruel, inhumana
fortuna lo tal syntiese,
ordenó que me siguiese
30   esta enemiga malvada
amor con [tan] grand mesnada,
a quien yo non registiese.

[V]

Mas por eso non çesaron
los fados de me mostrar,
35   a fin de lo evitar,
más da[ñ]os, que non tardaron;

---

23 _M_. "e mi pecho foradado".
27 Así en _M;_ falta "e" en _Y_.
31 Así en _M_, falta "tan" en _Y_.
32 _M_ "a que yo non resistiesse".
33 _M_ "esto".
35 _M_ "non".
36 _Y_ "danos"; _M_ "mis danos".

que las tres Furias cantaron
con la tronpa de Tritón,
e con tan triste cançión
el mi sueño quebrantaron.

40

[VI]

En el mi lecho yazía
una noche a la sazón
que Bruto al sabio Catón
demandó cómo faría
en las gentes que bolvía
el suegro contra Pompeo
segund lo cuenta el [Anneo]
en su gentil pohesía.

45

---

37   Las Euménides.
38   La caracola que Tritón tocaba como trompeta de Nep-
tuno.
   44   El poeta leía la *Farsalia*, lib. II, en el pasaje en que,
apurado Bruto, va de noche a pedir consejo a la tienda de
Catón, con aquellas solemnes palabras: "tu mente laban-
tem | dirige me, dubium certo tu robore firma. | Namque alii
Magnum vel Caesaris arma sequantur: | dux Bruto Cato
solus erit." Disipa mis temores, sosténme con tu entereza.
Otros sigan al gran Pompeyo o a César; yo no reconozco más
jefe que Catón.
   45   M "en las guerras". *Volver* por *urdir* o *suscitar:* "La
trayción que les bolviera", *Primera Crón.* *Gral.,* 436, a. 3.
   47   Así en M; Y "Numa".

[VII]

Al adverso de Faeton
por lo más alto del çielo
veía fazer su buelo
con estensa operación;
acatando en Escurpión
su luzífera corona,
discurriendo por la zona,
a la parte de Aquilón.

[VIII]

En aquel sueño me v[í]a
dentro en diá claro, lumbroso,
cn un vergel espacioso
reposar con alegría:
el qual jardín me cobría
de solaz de olientes flores,
do circundan rruyseñores
la perfecta melodía.

49 *M* "El adverso del Paiton".
52 *M* "intensa".
53 *M* "e yva contra el León".
56 *M* "por passar al Escurpión".
57 *Y* "veya"; *M* "en este sueño me vía".
58 *M* "un día claro e lumbroso".
59 *M* "muy fermoso".
62 *M* "con sombra de olientes flores"; acaso sea preferible "sombras".
63 *M* "do cendravan".
65 *M* "vía".

[IX]

65   E mas, vide que sonava
en un gracioso estormente,
no cuytosa, mas plaziente
muy dulçemente cantava.
En tal guisa me fallava
70   yo [como] quando a Theseo
ymplorava Piriteo,
porque Triçia reposava.

[X]

Non mucho se dilató
esta próspera folgura,
75   que la mi triste ventura
en proviso lo trocó;

---

66 *Estormente,* con terminación analógica. Comp. *estru-
ment,* Berceo, *Milagros,* 9; *inguente, Baena,* núm. 518.
67 *M* "no cuydoso".
68 *M* "e dulcemente".
70 *Y* "yo quando"; *M* "yo como quando".
71 *M* "increpava Periteo". *Piriteo,* Piritoo.
72 Así en *Y; M* "porqu'en Syçia".
75 *M* "ca".
76 *En proviso, en seguida;* "Entendí luego en proviso, |
buen señor, vuestra deytado", Pérez de Guzmán, *N.ª B.ª de
AA. E.,* 19, 686: "Con este cuydado luego en proviso | se
rrepresentó delante mi vysso", Ferrant Calavera, *Baena,* número 529.

[e] la claridad mudó
en nubosa escuridad,
e la tal felicidad
como sombra se pasó.

[XI]

Oscuras nuves trataron
mis altos comidimientos;
Eolo soltó los vientos
e cruelmente lidiaron;
nieblas de grajas çerraron
el ayre de tal negror
que de su mesmo color
el çielo todo enfoscaron.

[XII]

E los arboles sonbrosos
del vergel ya recontados
en punto fueron mudados
en troncos fieros, ñudosos,

---

77 Así en, *Y; M* "e la claridad".
78 *M* "nublosa".
80 *M* "como la sombra passó".
81 *M* "turbaron".
82 *M* "los mis altos penssamientos".
85 *M* "de granies".
86 *M* "con tal negror".
87 *M* "del su".
88 *Y* "el çielo del todo enfoscaron"; *M* "el ayre todo en-
fuscaron".
91 *M* "del todo".

e los cantos melodiosos,
en clamores redundaron,
95   e las aves se tornaron
en áspios poçoñosos.

[XIII]

E la farpa, tan sonosa,
que tal retinto tenía,
en sierpe se convertía
100   de la grand sirte arenosa:
e con rrabia v[i]perosa
mordió mi siniestro lado;
ansí que finqué turbado,
con angustia rangoxosa.

[XIV]

105   Las tinieblas despendidas,
e el alva parescía,

---

93   M "nudosos".
96   M "áspidos ponçoñosos".
97   M "E la harpa sonorosa".
98   M "que recuento que tañía".
101 Así en M; Y "vaporosa".
103 M "assí desperté turbado".
104 M "e con angustia rijosa"; Amador "raxosa". *Rixosa*
es voz común, pero no hay razón para proscribir *rangoxosa*
formada sobre la base *angoxa*, ANGUSTIA.
105 *Despenderse* como *acabarse, marcharse:* "Sed ya por
vuestra bondad | gradescida e conviniente, | ca mi vida se
despiende", Santillana, ed. de Amador, p. 445.
106 M "e la noche se partía".

quando el [sueño] se de[svía]
e fuye de las manidas;
o[í] en todas las partidas
110   nuevas como aperçebía
Amor toda su valía
de las gentes favoridas.

[XV]

Mi coraçón sospechoso
terresçió d'aquella fama,
115   e bien como bulle f[l]ama
con el encendio fogoso,
andava todo quexoso
por surtir de la clausura,
do lo puso por mesura
120   la mano del Poderoso.

[XVI]

Mi sesso redarguyendo
al ayrado coraçón,

---

107   Y "quando el sol se defina", que destruye la rima y
contradice al verso anterior, por lo que preferimos la lección
de *M.*

109   Y "oy"; *M* "oy de todas partidas".

112   *Favorido* es común por *favorecido*, y aun por *favori-
to:* "Lo que non fize fazed, | favoridos e privados", Santilla-
na, *Doctr. de priv.*, XII; "De los favoridos, | de tus amado-
res, | el mejor librado | es el más perdido", Alvarez Gato,
N.ª B.ª de AA. E., 19, 253.

115   Y "fama".

118   *Surtir* como *salir*.

començole tal razón
mansamente proponiendo:
125 —"Coraçón, tú vas temiendo
los sueños, [que] no son nada,
e destruyes tu alvergada
por lo que yo non entiendo.

[XVII]

—"Seso, non me contradigas,
130 que los sueños non son vanos;
a muchos de los humanos
revelan sus enemigas:
en Egipto las espigas
e las vacas demostraron,
135 ciertamente denu[n]ciaron
las sus estrechas fatigas.

[XVIII]

—"Coraçón, del todo veo
que buscas alteraçiones
e sufísticas [fiçiones]
140 con muy sotil acarreo;

---

123 *M* "atal".
126 *Y* "que los sueños no son nada"; *M* "los sueños, que".
127 *M* "morada".
133 *M* "Cuando en Egito".
135 *Y* "denunciaron"; *M* "los dapños por do passaron".
136 *M* "e sus".
139 *Y* "afeçiones"; *M* "e suphísticas raçones".

porque creas si no creo
que los sueños son verdat;
pero tal çertinidat
es vesyble devaneo.

[XIX]

145   —"Seso, si tú bien pensar[e]s
los fechos de Rrufo Arterio,
e por Máximo Valerio
con diligencia pasar[e]s,
fallarás, si lo buscar[e]s,
150 anunçiar la fantasía
lo que por derecha vía
avino en muchos lugares.

[XX]

Non mc conviene olvidar
a Alexandre en esta parte,

141   *M* "porque crea, si no creo".
143   *Çortinidat* como *certeza:* "Señor Pero Lopez, la gran sequedat | de mi mucho breve e symple çiençia | desca unguento de certinidat", Sánchez Calavera, *Baena*, núm. 517; "No miras tu desconcierto, | que, çierto, de ser ynçierto, | no temes certenidad", Hernán Mejía, *N.ª B.ª de AA. E.*, 19, 273: "Me culpa de pecador | syn saber çertenidad", ib., 278.
145   *Y* "pensaras" y con "a" en los versos cuarto y quinto, que está contradicha por la rima del verso final. *M* "pensares".
147   Valerio Máximo, cap. VII.
154   Falta "a" en *M*.

155   nin de tal caso que aparte
           a Ulixes e Almilcar;
           los quales sin lo pensar
           estos todos tres soñaron
           los males por do pasaron
160   sin lo poder remediar."

           [XXI]

           Ya mi seso [concluido],
           fallesçido de razones
           (ca las vivas conclusiones
           perturba[n] todo sentido),
165   razon[ó] desfavorido,
           diziendo: —"Coraçón, dy
           ca del todo plaze á mí,
           e siguiré el tu partido."

---

155   *M* "tal obra".
156   Falta "a" en *M*. *Amilcar*, agudo hasta el s. XVII, lo
mismo que *Anibal* y *Asdrubal:* "Anibal: natural", Pérez de
Guzmán, *N.ª B.ª de AA. E.*, 19, 691; "Anibal: leal", Juan
de Padilla, ib., 356; "Anibal: cabdal", Pérez Vélez, *Baena*,
número 319. V. Valerio Máximo, cap. VII, 8.
157   *M* "por do se puede provar".
158   *M* "como todos tres".
159   *M* "los fechos".
160   *M* "sin poderlos reparar".
161   *Y* "con cuydo"; *M* "concluido".
164   Así en *M*; *Y* "perturbado".
165   *Y* "razonando"; *M* "respondió".
166   Este verso está en *Y* cambiado con el siguiente.

[XXII]

Difinida la porfía
de los dos que letigaron,
mis sentidos reposaron,
como nave quando çía;
e entendí que me cumplía
el tal caso bien pensar
e morir e defensar
libertat que pose[í]a.

[XXIII]

Así me partí forçado
syn otro detenimiento;
ca dolor e sentimiento
non ha día reposado;
nin puede ser segurado
el coraçón afligido
sy themor ha conçebido
fasta ser asegurado.

170

175

180

---

168 M "ya seguir".
170 M "litigaron".
173 M "e fallé".
174 M "en tal caso".
175 *Defensar*, como *defender y apartar:* "Ni hallo vía que siga, | que siga, que desta plaga | me defense", Mena, *Clero oscuro;* "Y por mejor defensar | mi paciencia en este trance | dáraga quiero levar", Alvarez Gato, *N.ª B.ª de AA. E.,* 19, 262; "E defensa tu sentido | de querer lo non devido", Santillana, *Prov.,* XCI.
176 Y "poseya".
180 M "non han".

[XXIV]

185   ¿Cuál ó quién espresar[í]a
       quales fueron mis jornadas
       por selvas ynusitadas
       e tierras, que non sabía?
       Pero en el octavo día
190   cavalgando por un monte
       quando el padre de Fe[t]onte
       sus clarores re[c]lu[í]a.

[XXV]

       Un omme de buen semblante,
       del qual su barva e cabello
195   era manifiesto sello
       en hedat ser declinante
       a la senectud bolante,
       que a la noche postrimera
       nos trahe por la carrera
200   de trabajos abundante.

---

185 *M* "Quién o cual expresaría"; *Y* "espresara".
190 *M* "caminando".
191 *Y* "Febonte".
192 Así en *M;* *Y* "repluya".
195 *Y* "magnifiesto"; *M* "eran manifiesto".
199 *M* "nos lleva".

[XXVI]

Por aquel monte venía
honestamente arreado,
non de perlas, nin brocado,
nin de neta o[r]febrería;
205 mas hopa larga vestía
a manera, de çiente
e la su fablar prudente
al ábito conseg[u]ía.

[XXVII]

Desque nos fuimos llegando,
210 él dixo: "Muy bien vengades,
buen señor." "E vos fagades"
le respuse, abreviando.
Tanto que me fué mirando,
preguntome dó venía,
215 o qual camino fazía,
alegre cara mostrando.

---

204 Y "ofebrería".
206 M "sciente".
209 M "El qual, desque fui llegando".
210 M "me dixo".
212 M "yo le repuse". *Respuse*, respondí, como en otras
partes, XXXV, XLVIII, etc., hoy confundido con *repuse*, de
reponer.
214 M "partía".
216 M "ledo semblante".

[XXVIII]

Respondí: "De la çibdad
parto, do faze morada
la que es yntitulada
220 por nombre *Tranquilidad;*
e fuyo a la crueldad
de un sueño que me conquiere,
e me combate, e [me] fiere
syn punto d'umanidad.

[XXIX]

225 Con aquel amor firviente
que buen médico pregunta
al que padesçe, e apunta
la dolor e mal que siente,
así el varón potente
230 del todo quiso entender
mi sueño, por disçerner
lo futuro çiertamente.

---

218 *M* "fiçe".
219 *M* "la cual".
221 *M* "e fuyo la crueldat".
223 *M* "e me fiere".
228 *M* "o mal".
229 *M* "así aquel varón prudente".
232 *M* "del futuro".

[XXX]

El poético fablar
[pos]puesto, le fuy narrando,
e mi fecho recontando
quanto más pude abreviar,
syntiendo de alcançar
el vero significado
del sueño, que fatigado
me pusiera en tal pensar.

[XXXI]

Del propio color mudado
començó: —"Si las estrellas
non mudan el curso dellas,
non podedes ser librado
de batalla, ó guerreado
de Amor; quél no[n] [a]segura,
e da por plazer tristura,
e penas por gasajado.

---

234   Así en *M; Y* "propuesto".
236   *M* "quanto lo pude".
237   *M* "sitibundo d'alcançar".
244   *M* "non podeys ser excusado".
246   Así en *M.*
248   *Gasajado,* como *deleite:* "Donde podades fallar | reposo e buen gasajado", Santillana, *Visión,* x; "Folgará, e tomará muchos conportes e plazeres e gasajados", *Baena,* Prol.; "Por quanto el Rey, e duques, infantes, | con vues-

[XXXII]

Mas como quier que seamos
250   governados por Fortuna,
quédanos [tan] solo una
razón, en que proveamos:
de la qual, si bien usamos,
anula su señorío:
255   este es libre alvedrío,
por donde nos governamos.

[XXXIII]

Así buscad la dïesa
Dïana de castidat
e con ella consultad
260   el fecho de vuestra presa;
ca ella sola revesa
los dardos que Amor enbía,

---

tra requesta avrán gasajado", *Baena*, núm. 379; "En invier-
no y en verano el fuego es gasajado", Correas, *Voc.*. p. 113.
249   *M* "Pero maguer que seamos".
251   Así en *M;* en *Y* falta "tan".
254   *M* "anulla su poderío".
257   *M* "deesa".
259   *M* "esta".
260   *M* "priessa".
261   *Revesar*, como *rechazar:* "Presumo que çessa | su lyd
e revessa", *Baena*, núm. 393.

e los apaga e resfría
así quel su favor cesa.

[XXXIV]

265 —"Buen señor, de llano en llano
le dixe, como mandades
faré, pues me consejades
consejo seguro e sano.
Mas, por el Dios soberano,
270 vuestro nombre sepa yo."
Respúsome: —"Amigo, so
Theresías, el Tebano."

[XXXV]

Non con tanta diligençia
los Agen[ores] buscaron
275 la hermana, que les robaron
por oculta fraudulençia,

---

264 *M* "tanto, que".

265 *De llano en llano*, lo mismo que *enteramente, en absoluto*: "Así que de llano en llano, | sin algund temor nin miedo, | quando me dieron el dedo, | abarqué toda la mano", Santillana, *Dootr. do Priv.*, x; "Pensando con grant cordura | en commo o de qual figura | sea el grant Rey castellano, | gozoso de llano en llano", Villasandino, *Baena*, núm. 179.

271 *M* "respuso: Amigo yo so".

274 Así en *M; Y* "Agenares".

275 Europa.

como yo con grand femencia
me dispuse a trabajar
con voluntad de fallar
la de[í]fica potençia.

280

[XXXVI]

Mas como el perseverado
trabajo con aspereza
sojudgue toda graveza
e venga al fin deseado,
285
cavalgando por un prado
[pinto] de la primavera,
d'una plaziente ribera
en torno todo cercado.

[XXXVII]

Vi fermosa montería
290
de vírgenes que caçavan,
que los Alpes atronavan
con la su grand bozería;
e si heco respondía
a sus discordantes vozes,
295
presume, letor, si gozes,
que trabajo syntiría.

---

280   *Y* "deyfica". Diana.
286   *Y* "primero"; *M* "pinto".
291   *M* "e los Alpes".

[XXXVIII]

De cándidas vestiduras
eran todas arreadas,
en herizos aforradas
con fermosas bordaduras:
chapas e ricas çinturas
sotiles e bien obradas;
de gruesas perlas ornadas
las ruvias cabelladuras.

[XXXIX]

E vi más, que navegaban
otras donzellas en barcos
por la ribera; con arcos
maestramente tiravan
a las bestias que forçavan
las armadas e fu[í]an

---

299 *M* "armiños". De *aforrar*, dice Covarrubias: "Andar afornado, andar con ropa y bien abrigado. Aforros llaman algunas vezes las pieles, o de martas, o de otros animales", *Tes.*, I, f. 13.

301 En *M* "charpas"; *chapas* por *bordados*. V. *chaperia* en *El Planto de la reina Margarita*, IX; *ropas chapadas* por *bordadas* en Jorge Manrique, copla XVII.

304 *Cabelladura* como hoy *cabellera*: "E vuestra cabelladura | de toda poça labredes", Francisco Imperial, *Baena*, número 234.

307 *M* "e con arcos".

308 *M* "lançavan".

310 *M* "las paradas"; *Y* "fuyan".

allí donde se entendían
guaresçer, mas acabavan.

[XL]

¿Quién los diversos linajes
de canes bien enseñados,
315   quién los [montes elevados],
quién los fermosos buscajes,
quién los vestiglos salvajes
que allí [ví] recontaría?
do Homero se fartaría
320   si sopiera mill lenguajes.

[XLI]

De la gentil conpañía
una donzella corrió
al lugar donde me vió,
la qual quiso do venía
325   saber: con tal cortesía
[yo] le respuse: "Donzella,
yo vengo buscar aquella
que limpia castidad guía."

---

315 En *Y* "quien los fermosos buscajes" por confusión
con el verso siguiente; en *M* "montes elevados".
318 Así en *M*; falta "ví" en *Y*.
319 *M* "ca Homero".
325 *M* "con gran".
326 *M* "que le respondí"; en *Y* falta "yo".
328 Así en *M*; en *Y* "que la limpia".

[XLII]

La ninfa, non se tardando,
me levó por la floresta
do era la muy honesta
virgen, su monte ordenando:
tanto que me fuy llegando
recordeme de Anteón;
e de semblante ocasión
con themor yva dudando.

[XLIII]

Mas desque fuyme entrando
por unas calles fermosas,
las quales murtas e rosas
cobrián odorificando,
poco a poco separando
se fué la themor de mí,
mayormente desque ví
lo que [vo] metrificando.

---

330 M "llevó".
333 M "e desque más fuy andando".
334 M "Acteón". Acteón convertido en venado por Diana.
337 M "Pero desque fuy entrando".
340 M "cubrían odiferando"; Amador "cubren odoryfe-
rando".
344 Así en M; Y "lo que diré".

[XLIV]

345   E fuímonos açercando
donde la dïesa estava
do mi viso fazelava
en su fulgor acatando.
Concluy[o] determinando
350   quel animal basileo
e la vista del linceo
la miraran titubando.

[XLV]

   Pero después la pureza
de la su fulgente cara
355   demostróseme tan clara
como fuente de belleza.
Sin duda naturaleza,
si di[vi]nidad cesara

---

347 *M* "bacilava". *Fazelar* no parece errata por *vacilar;*
de ser forma legítima puede ser su composición *faz-elar*,
FACIE-GELARE, "pasmarse", etimología que Cornú, *Roma-
nia*, IX, aplicaba al antiguo *fazilado*, acaso de *faz-hilado*.
   348 *Acatar* por *mirar:* "Tus sentidos acatando | mis pe-
nas y tus errores, | tus dones serán mayores | de quantos yo
te demando", Mena, *N.ª B.ª de AA. E.*, 19, 185.
   349 Así en *M; Y* "concluyendo".
   351 *M* "de linçeo".
   355 *M* "se me demostró". *Demostrarse* como *mostrarse,
aparecerse;* "La grande Tessalia nos fué demostrada", Mena,
El Lab. de Fort., 46.
   357 *M* "por cierto".
   358 Así en *M; Y* "dignidad".

tal obra non acabara
nin de tan grand sotileza.

[XLVI]

Abreviando mi tratado,
non descrivo las facciones,
[ca] largas difiniciones
a pocos vienen de grado:
a la cual muy inclinado
reconté la mi dolor,
suplicándole favor
por no ser dapnificado.

[XLVII]

Respuso de continente,
mi proçeso relatado:
—"Amigo, perded cuydado
de ningunt inconveniente;
ca vos avedes tal gente
e de tales capitanes,

---

364 *Y* pone equivocadamente este verso al final: así en *M*, pero "con" en *Y*.

369 *De continente,* como *con presteza:* "Oye, e de continente | jamás libres", Santillana, *Prov.,* x; "Vinieron de continente | a me saluar sabiamente", *Triunf.,* v; "E de continente | los nobles hermanos e toda la gente | sintieron aquella tristeza e dolor", *Ponza,* LXXXI.

373 *M* "avredes".

375 que a todos vuestros affanes
se dará buen espidiente.

[XLVIII]

Perfecta, tan elevada
non la fizo emperador,
nin la gente d'Onosor
380 le deve ser conparada
qu[a]l a mí fué demostrada
a batalla conviniente,
de la dïesa potente
la fabla determinada.

[XLIX]

385 Ya tantas gentes ni tales
pujantes, nin tan armadas
en estorias divulgadas
non fallo, nin sus iguales;
por do vy ser espeçiales
390 los divinos mandamientos,
e como sus pensamientos
con efectos açidentales.

---

375 *M* "quen todos".
376 *M* pasa a la estrofa LI, faltándole las dos siguientes.
381 *Y* "quel".
392 Así en *Y;* por no tener base alguna dejamos sin corregir este verso.

[L]

De las huestes he le[í]do
que sobre Troya venieron,
e quántas e quáles fueron,
segund lo [re]cuenta Guido;
e non menos he sabido
por Dayres sus defensores;
e sus fuertes valedores
Dite los ha resumido.

[LI]

Yo le[í] de Agamenón
el que conquirió a Turquía,
e de la cavallería
que traxo so su pendón;
e de Ajax Talamón,
e del fijo de Peleo,
aquel que fizieron reo
de la muerte de Menón.

---

393 Y "leydo".
395 M "e quales e quantas".
396 Guido de Colonna, el traductor de la *Historia troyana* de Dares y Dites.
398 "Dayres" y también en M.
400 M "Dites".
401 Y "ley".
402 M "el que conquiso el Argía".
406 Aquiles.
408 Memnón. M pasa a la estrofa LIV.

VOL. 18   6

[LII]

[E] del antiguo Nastor
410   le[í] e de Menelao,
e del grant Proteselao,
animoso e feridor,
e del sotil narrador
Ulixes e Polidamas,
415   e sus gestas le[í] amas
segund las pinta el autor.

[LIII]

E le[í] de Sarpedón:
e del duque Monesteus
de Castor e de Peleus,
420   e del muy fiero Clirón:
e del notable varón
Pirro, que mucho loaron;
e de otros, que arribaron
al puerto de Tenedón.

---

409   En *Y* falta "E". Nestor.
410   *Y* "ley".
417   *Y* "ley"; *M* "Serpedon". Sarpedón, muerto por Patroclo.
418   *M* "Monasteus". Mnesteo.
419   Así en *Y* y *M*; Amador "Poleus". Pólux.
420   *M* "Chirón"; *Y* "Clyirón. El centauro Chirón, maestro de Aquiles.

[LIV]

425 De Príam[o] el virtuoso,
de Etor e sus hermanos,
ya pasaron por mis manos
sus estorias con reposo:
non metaforo nin gloso
430 en el trágico tratado;
pero yo non he fallado
tal tropel, nin tan fermoso.

[LV]

Prestamente los collados
e llanos de la montaña
435 fueron llenos de compaña
de amigos e alïados:
los pendones desplegados,
las vanderas, estandartes,
non tardaron amas partes
440 desque aquí fueron llegados.

---

425 *Y* "Priamus".
426 Paris y Polixena.
432 *M* "famoso".
434 *M* "planos".
436 *M* "enemigos e aliados".
438 *M* "las vanderas e estandartes".
439 *M* "d'amas".
440 *M* "allí".

[LVI]

Ya sonavan los clarones,
e las trompetas bastardas,
claronías e bonbardas
pasavan distintos sones:
445   las baladas e cançiones
e rrondeles que fazían
bien atarde los o[í]an
los turbados coraçones.

[LVII]

Las enseñas demostradas,
450   se movieron las planetas
en ordenanças discretas
e batallas ordenadas;

---

442   "Trompeta bastarda la que media entre la trompeta que tiene el sonido fuerte y grave y entre el clarín que le
tiene delicado y agudo", Covarrubias. *Tes.*, I, f. 87.
443   *M* "charamías".
444   *M* "façían".
446   En la edición de Rivadeneyra, *N.ª B.ª*, 19, "redonde-
les". Rondeles eran composiciones de solas dos rimas; de
diez versos en tres coplas y dos estribillos el sencillo; de
trece versos en tres coplas y dos estribillos el doble, y el
redoble de seis coplas y un estribillo.
447   *Y* "oyan".
449   *M* "E las hazes".
450   *M* "los planetas"; pero sabido es que *cometa* y *planeta* eran femeninos; Mena, *El Lab. de Fort.*, 67; Hernán
Mejía, *N.ª B.ª de AA. E.*, 19, 271.

por escuadras bien regladas
començaron la batalla,
455   tan cruel que non se falla
ninguna de las pasadas.

[LVIII]

La perfecta Fermosura
supitamente corrió
[mi] tropel, e lo rompió
460   con tan gentil catadura,
[qu]e sin vergüença e mesura
[luego nos desbaratamos,
e nos dimos e entregamos]
a su capitán Cordura.

[LIX]

465   Cierto non tardó Destreza,
mas, como sabia guerrera,
firió por la costanera
con tan inica ardideza,

---

455   *M* "qual non se falla".
458   *M* "firió".
459   *Y* "un tropel"; *M* "mi tropel".
461   *Y* "e sin vergüença".
463   *Y* "luego nos dimos e entregamos, | e nos pusimos en sus manos"; *M* "luego nos desbaratamos | e nos dimos e entregamos".
464   *Y* "a su capitán con cordura"; *M* "al su capitán cordura".
468   *M* "extrema".

que la mi ruda Pereza
470   e pesado Ynpedimento
fuyeron sin ningún tiento
perseguidos de Nobleza.

[LX]

Bel Donayre e Joventud
ronpieron por otra parte;
475   así que nuestro estandarte
cayó sin toda virtud;
la bondat e multitud
de gente que se [c]onvenga,
non sé tal que se detenga
480   mayormente en solitut.

[LXI]

Yo ví leona indignada
sobre fijos, e raviosa;
e la piedra impetuosa
del [ç]áfiro congelada;

470   *M* "Entendimiento".
473   *M* "Buen donayre".
474   *M* "firieron".
477   *M* "ca bondat".
478   *Y* "onvenga".
484   *Y* "del cafiro"; *M* "de los vientos". *Céfiro,* acaso contaminado con çafiro.

485   e de la tigre cns[a]ñada
en la Thebaida leí,
e su ferocidat ví
en estorias, e pintada;

[LXII]

    E la ravia de Panteo
490   leí, e de Tesifone,
e de la sañuda Prone
en el crimen de Tereo;
pero yo nin ví nin veo
de tal yra cual ardió
495   Dïana, desque sintió
la destroça del torneo.

[LXIII]

    E movió con la vandera
de su reguarda delante,

---

485 *La tigre*, como en otras partes, Santillana, ed. de
Amador, 420; *Ponza*, xv y LXIV. "Enseñada" en *Y.*
    489 La rabia que Penteo suscitó en su familia por la
burla de Baco.
    490 Tisifone.
    491 Progne, que vengó la crueldad de su cuñado Teseo
con su hermana Filomena, dándole de comer a aquél su propio hijo.
    493 *M* "non ví nin leo".
    495 *M* "quando".

como la bestia rrapante,
500   quando se faze más fiera;
mal trayendo la primera
batalla, que así caída,
desbaratada e vençida,
[l]e fabló en tal manera:

[LXIV]

505   "¡O gente desacordada,
cuya fama se destruye,
e de quien vergüenza fuye
e virtud es separada:
ya muerte fuera pasada
510   y libertat defendida;
pues pensad quál es la vida
para siempre desonrada

---

498 En el vocabulario del Cancionero de Baena *reguarda*
se hace sinónimo de *resguardo;* sin embargo, su significado
era como el del actual *retaguardia:* "Aunque todo el mundo
arda, | como arde con manzilla, | será fuerte maravilla, | sy
no vo en vestra reguarda", Villasandino, *Baena,* núm. **77**;
reguarda contrapuesto a *avanguarda* era término de la milicia
muy usual. Gonzalo Ayora, *Cartas,* passim.
499 *M* "rampante".
502 *M* "vençida".
503 *M* "veía presa e fuyda".
504 *Y* "e fabló en tal manera"; *M* "e fabló de tal manera".
507 *M* "vergüeña".
510 *M* "o libertat".
512 *M* "denostada".

[LXV]

[E] st non es denegada
de Mares la tal vitoria,
315 non queramos ver la gloria
de Venus esta vegada:
fenescamos por espada,
que es el sepulcro veril,
toda terror femenil
520 escluída e despachada."

[LXVI]

De tal sermón provocados
y a batalla tra[i]dos,
bien así los perseguidos
como presos e llagados,
525 firvientes e inflamados,
retornamos por tal son
qual Çesar el Rubicón,
todos themorcs dexados.

---

513 Así en *M;* falta "e" en *Y.*
518 *M* "ques el sepulcro viril".
519 Mal en *Y* "e toda terror".
520 *M* "desechada".
522 *M* "a batalla e atraydos".
525 *M* "furientes".
526 *M* "de tal son".

[LXVII]

530
Inmensa fué la porfía
e dubdoso el vençimiento
de la vuelta que recuento
e non se reconosçía
destas gentes quál avría
la fortuna favorable;
535
ca fecho tan espantable
¿quién lo determinaría?

[LXVIII]

Pero Dïana fería
con tanta furia e rigor,
que fazía grand pavor
540
a todo ome que lo vía,
e dañava e non temía
los adversarios crueles
e buscava los tropeles
e [en] más saña se ençendía.

---

531 *M* "en la vuelta".
532 *M* "do non".
536 *M* pasa al párrafo LXVII.
540 *Y* "veía".
544 *Y* "e más saña".

[LXIX]

545 El fi[jo Ascanio, que a Dido]
onesta vida robó,
sin orden se recluyó
en la batalla vençido;
e con un grand alarido
550 Venus, Júpiter e Juno
socorrieron de consuno
al fraudulente Cupido.

[LXX]

E las hazes se movieron
de su batalla seguidas,
555 de campañas tan guarnidas
que los mis ojos non vieron;

545 Y "El fiero asayamiento | que ardido onesta vida
robo"; M "El fijo Ascanio ç'a Dido | honesta vida robó".
Se refiere al ardid que Venus ideó para enamorar a Dido,
Eneida, l. I, 657-756. Cuando Eneas dispone que el niño Ascanio sea llevado a la presencia de Dido, la diosa Venus
ordena a Cupido que le suplante, y cuando la reina reciba
al niño en su regazo le infunda en sus entrañas el fuego
del amor del héroe. Con este fraude de Cupido Venus inten-
taba de Dido "robar la onesta vida", borrar el piadoso re-
cuerdo de Siqueo.
548 M "a la reguarda".
549 M "mas con un".
552 M "fraudulento". M salta a la estrofa LXX.

[e] por tal modo firieron
e con saña tan ardida,
que Dïana fué vençida
560   e [las] mis hazes ronpieron.

[LXXI]

Por el poeta mantuano,
no Ovidio, Séneca, Austacio,
Pánfilo, Catón, Oraçio,
Omero e Tus? romano,
565   nin [por] Tulio nin Lucano,
tanta sangre derramada
non puede ser recontada,
pues ¿cómo podrá mi mano?

[LXXII]

De mortal golpe llagado
570   en mi pecho, e mal ferido
en el campo amortecido
yo finqué desconsolado;

---

557   Falta "e" en Y.
560   Falta "las" en Y.
562   Estacio.
564   Así en Y.
565   Falta "por" en Y.
570   M "en el pecho".
572   M "desamparado".

e prestamente robado
[yo] fuí como Proserpina,
75   e de Cupido [e] Çiprina
a pensamiento entregado.

[FIN]

Del qual soy apressionado
en grandísimas cadenas,
do padezco tales penas
580   que ya non vivo, cuytado.

---

574 En Y falta "yo", que consigna M.
575 Así en M; Y "Cupido Çiprina". Çiprina es Venus,
por habérsele consagrado la isla de Chipre.
578 M "gravissimas".

[DECIR CONTRA LOS ARAGONESES] *

[I]

Uno piensa 'l vayo
e otro el que lo 'nsilla:

---

* Texto de A. Esta poesía es el *dezir* que Santillana dirigió a modo de cartel de desafío a los fronteros navarros y aragoneses, cuando estuvo en la villa de Agreda en 1429, al cual replicó Juan de Dueñas con otro no menos agresivo, que empieza: "Aun que visto mal argayo, | ríome desta fablilla, | porque algunos de Castilla | chirlan más que papagayo. | Ya vinieron al enssayo | en aquellos montanyeses: | preguntatlo a cordoveses | cómo muerden en su ssayo." Por cierto que el 11 de noviembre pasó la frontera Rui Díaz de Mendoza, *el Calvo*, destrozando en los campos de Araviana a las tropas de D. Iñigo, que con sin igual bravura se defendió con cuarenta hombres de armas que le quedaron, sin que los navarros pudieran quitarle el campo.

2 El sentido de este refrán, incluído en la colección del Marqués, lo declara con toda evidencia el maestro Correas: "Bayo aquí se entiende caballo; uno, un negocio; otro, otro negocio diferente; que el caballo tiene un pensamiento y el que lo ensilla tiene otro. Los que no entienden este refrán piensan que un mozo le piensa y da de comer, y otro mozo le ensilla; mas es fuerza de su propósito y sentido, que es en

non será grand maravilla,
pues tan cerca viene el Mayo,
5   que se vistan negro sayo
navarros e aragoneses,
e que pierdan los arneses
en las faldas de Moncayo.

[II]

El que arma manganilla
10   a las vezes cae nella:
si s'ençiende esta çentella,
quemará fasta Çeçilla.
Los que son desta cuadrilla
[suenan siempre] e van sonando,
15   e quedarse [h]a[n] santigua[n]do
con la mano en la maxilla.

alegoría, que el padre piensa casar con fulano su hija y ella
sale casada con el que la ha requebrado; y á semejantes pro-
pósitos se aplica", *Voc. de refranes*, p. 104. Que el sentido
es, no *pensar al caballo*, sino *creerse una cosa el caballo*, lo
confirman variantes del refrán: "Quando el sol más se en-
çiende, | de un arbol dixo un gayo: | Aunque uno cuida el
vayo | quien lo ensilla al entyende", Pérez de Guzmán, *N.ª B.ª
de AA. E.*, 19, 687: "uno cuida el vayo", es decir, "una cosa
cree el vayo".
    10 Mal en Amador "assaz veçes".
    12 Sicilia: "Llamavan Mallorca, Çerdeña e Çeçilia", San-
tillana, *Ponza*, LXX; "Sezilla" en *Baena*, núm. 358.
    14 En el manuscrito "siempre suenan et".
    15 En el manuscrito "et quedar sea santiguado".

[III]

Tal se piensa santiguar
que se quebranta los ojos:
son peores los abrojos
20   de cojer que de sembrar:
ni aun por mucho madrugar
no amaneçe más a[í]na:
...............................[ina]
a las vezes faz pecar.

[IV]

25   Muchos muestran ardideza
e cobriendo grant desmayo;
aunque plaça canta Payo
de questa en su cabo reza.
El es[c]asso con franqueza
30   da lo ajeno a montones;

---

17   En el manuscrito "E tal". *Tal*, como *uno:* "Alguien
levanta bolliçio | que pocas feridas toma, | tal va por letras
a Roma, | que torna sin beneficio", Pérez Patino, *Baena*, nú-
mero 351. El refrán en Correas es: "Penseme santiguar y
quebreme el ojo", *Voc. de refr.*, p. 388.

21   "Por mucho madrugar no amanece más aina", Correas, *Voc. de refr.*, p. 400.

23   El copista olvidó este verso, que seguramente contiene,
como los anteriores, un refrán.

28   Alude al refrán "Miedo ha Payo que reza", Correas,
Voc. de refr., p. 466.

29   En el manuscrito "estasso". En la idea este refrán
responde al de la colección del Marqués: "Del pan de mi

los que son cuerdos varones
ríensse de tal simpleza.

[FIN]

Pues enfinge de proeza
todo 'l mundo es op[i]n[i]ones:
35 pero sus consolaçiones
todas [serán] con tristeza.

---

conpadre buen çatico a mi ahijado." *Franqueza,* igual que
generosidad: "Franco en lengua castellana significa liberal y
dadivoso..., franqueza, liberalidad", Covarrubias, *Tes.,* II,
f. 15. Este significado se ve en un refrán: "Más da duro que
tiene que franco que no tiene", Correas, *Voc. de refr.,* p. 448.

30 En el manuscrito "son", que corregimos por salvar el
verso.

[VISION]

[I]

Al tiempo que va trançando
Appolo sus crines d'oro
e recoje su thesoro
contra el orizonte andando,
e Dïana va mostrando
su cara resplandeçiente,
me fallé cabe una fuente,
do ví tres dueñas llorando.

[II]

Titulivio sobresea,
allá do fabla de Canas

---

1   *M* "trençando".
4   *A* "faze el oriente"; *M* "faza el horizonte".
5   *A* "Diana va demostrando".
7   *A* y *M* "cabo".
9   Tito Livio.

del planto de las romanas;
que non es ni fué quien vea,
nin por [escritura] lea
tal duelo como fazían;
e tan fuerte se firían,
que non es quien bien me crea.

[III]

Yo le[í] de las hermanas
e mujer de Campaneo,
que vinieron a Theseo
cuando las guerras tebanas,
e leí de las troyanas
quando su destru[i]ción;
pero tal lamentación
non vieron gentes humanas.

[IV]

La una dellas vestía
de tapete negro hopa;

---

12 *A* "que non fué nin es quien lea"; *M* "ca nin fué nin es quien vea".
13 *Y* "estoria"; *A* "nin por escritura bea".
15 *A* "que así fuerte se firían".
16 *A* "que non sé quien me crea".
20 *A* "quando a las".
21 *A* "tebanas".
26 *A* "de tape negro".

la segunda una rropa,
que de çafir parescía;
e la tercera tra[ía],
30   e de damasco bien fecha,
una cota bien estrecha
al lugar do se ceñía.

[V]

Desque ví tal estrañeza
díxeles con reverençia:
35   "Dueñas de grand excelençia,
dezid, por vuestra nobleza,
¿qual es la ca[u]sa o crueza
por que tan fuerte plañides,
e vuestras caras ferides
40   con tan extrema graveza?"

[VI]

Con senblante doloroso
me respuso la primera:

---

27   *A* "e la segunda una opa".
30   *A* "de monasqui blanco fecha"; *M* "de damasquí blanco fecha".
31   *A* "una gona bien estrecha"; *M* "una cota muy estrecha".
37   *Y* "cabsa", que es sólo falsa ortografía etimológica;
y *M* "o tristeça".
40   *A* "con tan estranya crudeza"; *M* "con tan estrema
crudeça".

"Amigo, de tal manera
es, el mundo ca[u]teloso,
45 que bivienda nin reposo
en España non fallamos;
así que nos apartamos
en este valle espantoso."

[VII]

Yo les repliqué, diziendo:
50 "Los vuestros nonbres querría,
señoras, si vos plazía,
saber, porque non entiendo
maguer estó comidiendo,
natural razón alguna
55 por que vos niegue Fortuna
su favor, non meresçiendo."

[VIII]

"Amigo (dixo), Firmeza
es mi nombre por verdat,

---

44 *Y* "cabteloso", como "cabsa", con *u* etimológica.
51 *A* "Señoras, si vos planya, | los vuestros nombres querría"; *M* "Señora, si a vos plazía, | los vuestros nombres querría".
53 *A* "maguera sto comediendo". *Comedir* como *pensar, reflexionar*, Berceo, *Sacr.*, 84, *Mil.*, 54.
54 Así en *Y* y *A*; *M* "cabsa nin raçón alguna".
55 *A* "niega".

     e mi hermana es Lealtat,
60   amiga de la nobleza;
     ra[í]z de toda lindeza,
     esta otra es Castidad,
     conpañera de honestat
     e socorro d'ardideza.

[IX]

65   El fecho bien entendido
     de las tres dueñas quien eran,
     e por quál rrazón vinieran
     en tan estrecho partido,
     de muy grand piedat [movido]
70   non les pude más dezir,
     e començé a seguir
     el su planto dolorido.

[X]

     Pero desque fuy cansado
     de llorar, dixe: "Señoras,

---

  61 En *M* los versos 5, 6 van invertidos. *M* "limpieça".
  62 *A* "esta otra castidat"; *M* "esa otra es Castidat".
  63 *Honestad,* como *honestidad:* "Mas recelo que tomeys |
por padrino en esta guerra | honestad, con que venceys : |
quántos vencidos teneys, | para dar comigo en tierra", Alva-
rez Gato, *N.ª B.ª de AA. E.*, 19, 263.
  69 Así en *A* y *M; Y* "levado".
  71 *A* y *M* "e començé de seguir"; *Y* "el començé luego a
seguir".
  72 En *A* falta "el".

75 como aquel que todas oras
vos amó servir de grado,
yo vos çuydo aver buscado
muy conveniente lugar,
donde podre[des] fallar
80 rreposo e buen gasajado.

[XI]

"Señoras, saber deve[des]
que yo amo ciertamente
la dueña más excelente
que en el mundo fallare[des];
85 en quien todas tres ave[des]
mayor parte qu'en Lucreçia,
nin en las ninfas de Croçia:
id, buscadla; non tardedes.

[XII]

"A la qual señora mía
90 las virtudes cardinales
[son sirvientes] espeçiales
e le fazen conpañía:

---

80   Así en A; Y "podreys"; M "podades".
81   Así en A y M en todos los versos; Y "deveys", etc.
87   A "ni en las fermosas".
88   A "it, buscalda, et no tardedes"; M "id buscarla; non
tardedes".
91   Así en A y M; Y "le son mucho espeçiales".

la moral filosofía
jamás non se parte della,
95 con otra gentil donzella,
que se llama Fidalguía."

[XIII]

Las tres dueñas acordaron
en fazer lo que dezía;
e yo les mostré la vía,
100 e ellas creo no tardaron
de llegar a do fallaron
la donna más vyrtuosa,
que por texto nin por glosa
se falla en la[s] que loaron.

[FIN]

105 De aquel que solo dexaron
en la pena congoxosa
non sabe dezir la prosa
sy gelo recomendaron.

---

97 *A* "no tardaron".
100 *A* "e creo que non tardaron"; *M* "e creo non detardaron"; *Y* "e ellas creo no detardaron".
101 *A* "donde".
104 Así en *A*; *Y* "la"; *M* "cuentan de las que loaron".
105 *A* "legaron".
106 *A* y *M* "su pena".
108 *A* "si gloria".

[EL PLANTO DE LA REINA MARGARIDA]

COPLAS QUE FIZO EL MARQUÉS POR LA MUERTE DE LA REYNA DONNA MARGARIDA

[I]

A la hora que Medea
su sçiencia profería
a Jassón, quando quería
asayar la rica prea,
e quando de grado en grado
las tinieblas an rrobado
toda la flama febea,
[vime] del todo arrobado.

---

4 Cuando la hechicera Medea enseñaba a Jasón las hierbas con que había de aletargar al dragón que custodiaba el vellocino de oro.

8 Y "un del todo"; en *M* y en Amador falta este último verso.

[II]

Ví la cámara, do era
e[n] mi lecho reposa[n]do,
[bien] tan clara como quando
[noturnal] fiesta se espera;
e ví la gentil dïesa
d'Amor, pobre de lïesa
cantar commo endech[era]:

[III]

"Venid, venid, amadores,
de la mi flecha feridos,
e sientan vuestros sentidos
tormentos, cuytas, dolores;
pues que la muerte llamar
ha querido e rebatar
la mejor de las mejores."

---

10 Así en *M; Y* "el mi lecho reposado".
11 Así en *M;* en *Y* falta "bien".
12 Así en *M;* en *Y* "natural".
13 *M* "deesa".
15 *Y* "cantar commo en endecha"; *M* "e cantar como
endechera".
20 *M* "levar".

[IV]

Qual la fija de [Croante]
torció con el mensajero
25 su gesto, de plazentero
[en] doloroso senblante;
el qual de Colcas dezía
nuevas, por donde sentía
non le ser Jasón constante;

[V]

30 Atal, fuera de mi seso,
me llevó como sandío
sin fuerça e sin alvedrío
bien como el centauro Ne[s]o
del grand Hércoles ferido;
35 e con muy triste gemido
le dixe: "Se[ñ]ora, en peso

---

23 Y "Toante"; M "Coanse". Por la rima y el sentido
suplimos una forma intermedia, suponiendo que el poeta se
refiere a Creonte, padre de Creusa y esposo de Jasón.
26 Y "con".
27 Colcos. M "Colchos".
28 M "por do s'entendía".
29 M "Jassón non le ser constante".
31 M "leve".
32 M "poderío".
33 Así en M; Y, "Neto". Nesso, muerto por Hércules al
raptar a Dejanira.
36 Poner en peso o en balanzas era frase frecuente por
poner en, grave apuro.

[VI]

Avedes puesto mi vida,
si luego non me dezides
cuál es la que vos plañides,
40   que desta vida es partida;
sy es aquella que yo amo,
cuyo servidor me llamo,
o la rreyna Margarida."

[VII]

Con tal cara, qual rrespuso
45   al marido Colatino
la rromana que Tarquino
forçó, por do fué confuso,
me dixo, triste llorando:
"Dezid, amigo, ¿de quándo
50   sabe[de]s mi mal yncluso?"

[VIII]

Díxele: "Non entendades,
señora, que vos lo diga
porque lo sepa, nin siga

39 *M* "quién".
41 En *M* falta "sy".
47 Lucrecia.
50 Así en *M;* *Y* "sabes", que corregimos por el métro.
52 *M* "digo".

arte alguna si penssades;
mas por quanto fizo Dios
esmeradas estas dos
en fermosura e bondades.

[IX]

Así que [yo] vos suplico,
señora, que me digades
quál es la que vos llorades
destas dos que vos [ex]plico.
—"¡Ay, amigo, non temades,
me dixo; que la que amades
viva es; vos çertifico!"

[X]

Tornó al esquivo planto,
como de cabo, diziendo:
"Venid, non vos deteniendo;
e resuene vuestro llanto
en los [cóncavos] pe[ñe]dos;

---

53 *M* "porque yo sepa, nin sigo".
57 *M* "de fermosura".
58 En *Y* falta "yo"; *M* "E por ende vos suplico".
61 Así en *M; Y* "aplico".
63 *M* "pues la que amades".
64 *M* "es viva".
69 Así en *M; Y* "en los estranos penados".

70   e tornad tristes los ledos
        amadores, en espanto."

                    [XI]

        Como el profeta [re]cuenta
        que las tronpas judiçiales
        surgirán a los mortales
75   con estraña sobrevienta;
        bien así todos vinieron
        aquellos que Amor siguieron
        de quien se faze grand cuenta.

                    [XII]

        Allí fueron los romanos
80   con banderas roçagadas,
        e las fenbras muy loadas

---

70 *M* "de ledos".
71 *M* "con espanto".
72 *M* "recuenta".
75 *Sobrevienta*, aplicado al mismo caso de revuelta de
los elementos en Berceo: "La mala sobrevienta de la fuert
espantada | tenie la gent premida, maguer era passada",
S. M., 386.
79 *M* "los troyanos".
80 *M* "roçegados". *Roçagado* como *rozagante* de *roçegar*,
"brillar", especialmente hablando de telas recamadas y bor-
dadas: "Un manto que roçegava | azul e blanco traía", Gó-
mez Manrique, *A la muerte de Santillana*, c. 76.

de los pueblos syçïanos;
allí fueron los de Athenas
e la reyna de Micenas,
85 e fueron los a[s]ïa[n]os.

[XIII]

Allí fueron los de Ymonia,
e Layo con los thebanos,
Marcelo con los toscanos,
e gentes de Macedonia;
90 e fueron cartageneses,
los turcos c los rrodcscs
e Menbrot de Bavilonia.

[XIV]

Allí fueron las loadas
e notables amazonas,
95 sus cabeças sin coronas,
sus caras deffeguradas.
Allí vino el rrey [Oeta]
e [Minos] con los dc [Crcta],
con sus hazes ordenadas.

---

82   *M* "sypcianos".
85   Así en *M; Y* "afiamos".
88   *M* "romanos".
93   *M* "nombradas".
96   *M* "las caras desfiguradas".
97   Así en *M; Y* "Otea".
98   Así en *M; Y* "e vino con los de Corea".
99   *M* "en sus".

[XV]

100 ¿Cuál lengua recontará
el su triste desconsuelo,
nin podrá dezir tal duelo?
¿o quál pluma escrivirá
por cursos de pohesía
105 el remor que se fazía?
[O] ¿quién los declarará?

[XVI]

E la dïesa mandava
a todos como feziesen,
e de qué guisa plañesen
110 aquella que tanto amava;
maldiziendo la ventura
por que tal gentil figura
deste siglo se apartava.

[XVII]

Ciertamente [non se falla]
115 qu'en el grand tenplo d'Apolo,
por el que sostuvo solo

---

105 *M* "rumor". *Remor, como redondo y reloj.*
112 *M* "criatura".
114 Así en *M;* el copista de *Y* se distrajo con la última
palabra del verso anterior y escribió "se apartava".
116 *M* "por quien él".

a Dard[a]nia por batalla,
tales duelos se feziesen,
maguer que los escriviesen
20   por extremidad sin falla.

[XVIII]

Ya las estrellas ca[y]entes
denunciavan la mañana,
e la claridad cercana
se mostrava a los bivientes;
125   así que desque la vieron
luego desaparesçieron,
e non me fucron presentes.

[FIN]

Reyes ínclitos, potentes
pues los muertos la plañeron,
130   faze[d] vos como fizieron
aquellas insignas gentes.

---

117 Así en *M ;* Y "Dardinia", Troyai.
118 *M* "ficieron" y "escrivieron" en el verso siguiente.
121 Así en *M;* Y "calientes".
125 *M* "me vieron".
130 Y "fazes".
131 *M* "insines". *Insignas* como otros adjetivos adapta-
dos al femenino.

[EL PLANTO DE PANTASILEA] *

[I]

Yo sola membrança sea,
enxenplo a todas personas,
la triste Pantasilea,
reyna de las amaçonas.
5   Ector, que gloria possea,
amé, por donde muriesse;
e el triste que amar dessea
ya mi planto e fin oyesse.

[II]

Sola yo, reyna amaçona,
10   nasçí porque amar deviesse
Ector más que otra persona;
¡cuytada, nunca lo viesse!

---

* Texto de Amador de los Ríos.

Sola yo, la mal fadada,
quiso Amor que fenesçiesse
amando, e non fuesse amada,
nin quien amé conosçiesse.

[III]

Por fama fuy enamorada
del que non ví en mi vida;
por armas vençí ¡cuytada!
e fuy por fama vençida.
Yo vengué la reyna Orithia
d'Hércules e Menelida,
domó la gente de Scythia,
salvaje, ensobervesçida.

[IV]

Dí vengança de Theseo
a Ypólites offendida;
vençí al rey Oristeo,
cobré la Syria perdida.

---

21 Orithia, reina de las amazonas, vencida por Hércules.
22 ¿Menalipe?, reina de las amazonas, vencida y apresada
por Hércules.
26 Hipólita, reina de las amazonas, vencida por Hércules
y dada como esposa a Teseo.

En Estorias, quantas leo,
30   non fallé quien me vençiesse,
salvo amor e buen desseo
de un solo que bien quisiesse.

[V]

Sintiendo por quien moría
la cruel guerra en que fuesse,
35   partí de mi señoría,
valer lo que me valiesse.
Faziendo la luenga vía
contra las partes de Frigia,
las buelfas mortal fería
40   en el desierto de Lydia.

[VI]

Los alarbes combatía,
vencí los fuertes syrenios,
gané por donde venía
fasta los montes armenios.
45   Caminando en claro día,
desseo que me guiava,
ví Troya dó parescía
e sus torres demostrava.

---

39   *Buelfas* "serpientes".

[VII]

Tanta fué mi alegría
qual la del que bien amava;
cada passo que movía,
plazer se me acresçentava.
Ví la grand cavallería
e gente muy ordenada
de los griegos, que movía
por me vedar el entrada.

[VIII]

A las oras yo sandía
por ver el que desseava,
¿qué fechos d'armas fazía,
e de qué son peleava!
E ya el sol se retrahía
e la hueste bien reglada,
quando Amor e su valía
les ganamos la jornada.

---

56 *El entrada*, como en otros femeninos con vocal inicial: "Notar el entrada me manda tenprano", Mena, *El Lab. de Fort.*, 27.

57 *A las oras* y *a la ora* significó *por momentos, cada vez más*. Véase *Cid*, 357.

[IX]

65   Yo vençiendo, ¿qué temía?
        Siempre teme quien bien ama,
        que en tal son non plazería
        al poseedor de la fama.
        Perlas, oro, orfebrería
70   vestí a la puerta Tymbrea,
        verde e blanca chapería
        mis donzellas por librea.

[X]

        ¡Con qué honor me rescebía
        Príamo, rey soberano,
75   duques, que non conosçía,
        reyes e pueblo troyano!
        Ector solo fallesçía:
        sin pena nin gloria alguna,
        quando reynar entendía,
80   la rueda volvió Fortuna.

[XI]

        E saliendo a resçebirme
        el buen Rey e su conpaña,

---

77 *Fallescer*, "faltar", como en otros ejemplos anteriores.

non pudo más encobrirme
su dolor, que era tamaña.
E sospirando por ver
el ome que bien quería,
respondiome: "Tu plazer
oy fenesçe en este día."

[XII]

Mares, diésteme vittoria,
que las batallas vençiesse,
porque quedasse memoria
después que yo fenesçiesse.
Siendo alegre e plazentera
con el gusto que esperava
de Ector, que muerto era
a mí la nucva llegava.

[XIII]

¡O maldita sea la fada,
cuytada, que me fadó!
¡O madre desventurada
la que tal fija parió!
Amaçona, reyna triste,
del dios d' Amor maltractada,
en fuerte punto nasçiste,
o en algún ora menguada!

[XIV]

105　　¡O triste, mejor me fuera
que nunca fuera nasçida:
a lo menos non oviera
la muerte tan conosçida;
cuytada e triste seyendo,
110　　en mi fortuna penssando,
mi cuyta e dolor plañiendo,
con dios d'Amor raçonando.

[XV]

Venus, seguiendo tu estoria,
en mi daño consintiendo,
115　　hasme levado la gloria
d'amores que non entiendo.
Venus, de tanto serviçio
que te fize atribulada,
de oración e sacrificio
120　　¿qué gualardón he sacada?

[XVI]

¡O triste yo, sin ventura!
¡Un amor tan desseado
la muerte, que non se cura,
avérmelo así robado!

125 ¡Maldito sea aquel día,
Ar[qu]iles, en que nasçiste!
Buen Ector ¿qué te fazía,
que tanto mal me feziste?

[XVII]

¡O reyna!, ¿dó tu gemido,
130 tu suspiro e tu quebranto?
Coraçón enduresçido,
¿cómo no mueres d'espanto?
Señor, mientra tú viviste,
de mí fuste bien amado;
135 agora que feneçiste,
nunca serás olvidado.

[XVIII]

El buen Ector enterrado
donde quiera que estoviesse
de mí será acompañado,
140 cuytada, mientra viviesse.
¡O reyna desconsolada!
Sé que me puedo llamar
la más triste apassionada
de quantas saben amar.

---

133 *Mientra* una de las varias formas de asimilación del
viejo *domientre.*

[XIX]

145   E aquellas que non te amaron,
señor, como yo te amé,
de sola vista goçaron
¡mezquina! que non gocé.
¡Bien escura fué mi suerte,
150   mi quebranto e mi dolor!
Non deve reffusar muerte
la que pierde tal señor.

[XX]

A mis cuytas remediava
coidando resurgería;
155   mas quando bien lo mirava,
mayor planto e cuyta avía.
E ya el día fallesçía
e la noche se açercava,
mi alma se escureçía
160   e mi plazer s'apocava.

[FIN]

Porque partir me fazían
de do el buen Ector estava,

154 Amador "coibdando".

mis dolores más cresçían
e mi pessar s'alargava:
165   de la gran pena que avía
lo más que me consolava
era que presto morría
segunt el mal que passava.

---

167 *Morría* como *morré* eran formas normales de estos tiempos perifrásticos, Mena, *N.ª B.ª de AA. E.*, 19, 417; Villasandino, *Baena*, núm. 106; Ferrant Calavera, *Baena*, números 530 y 531. Otros tiempos contaminados: *morrer*, Garci Fernández de Jerena, *Baena*, núm. 565; *morrían* 'morían', Santillana, *Ponza*, CXII.

LOS GOZOS DE NUESTRA SEÑORA *

[I]

Gózate, gozosa Madre,
gozo de la humanidad,
templo de la Trinidad
elegido por Dios Padre;
Virgen, que por el o[í]do
concepisti,
gaude, Virgo, Mater Xripsti,
en nuestro gozo infinido.

[II]

Gózate, luz reverida,
segunt el Evangelista,

---

* El texto es de *M.* Los gozos que en los antiguos trovadores, en las Cántigas y en Hita son siete, en esta composición son doce.

8 *Infinido,* 'infinito': "Tu caridad infinida | Dios y onbre
verdadero", Alvarez Gato, *N.ª B.ª de AA. E.,* 19, 252; "Gran
misericordia pido | a ti, mi Dios infinido", Santillana, *Doc-*
trinal de Privados, L.

por la madre del Baptista,
anunciando la venida
de nuestro gozo, Señora,
que traías;
15 vaso de nuestro Mexías
gózate, *pulcra e decóra.*

[III]

Gózate, pues que pariste
Dios y honbre por misterio,
nuestro bien e refrigerio;
20 *inviolata permansisti,*
sin ningund dolor nin pena;
pues, gozosa,
gózate, cándida rosa,
Señora de *graçia plena.*

[IV]

25 Gózate, ca prestamente
de Naus sin más tardar
lo vinieron adorar
los tres príncipes d'Oriente:

---

18 Amador "e ome".
20 Amador "e inviolata".
21 Amador "algund".
27 Amador "le vinieron a adorar".

oro e mirra le ofresçieron
30   con enzienso;
pues gózate, nuestro açenso,
por los dones que le dieron.

[V]

Gózate, de Dios mansión,
del çielo felize puerta,
35   por aquella santa oferta,
que al saçerdote Simeón
graziosamente e benina
offresçiste,
gózate, pues mereçiste
40   ser dicha Reyna divina.

[VI]

Gózate, nuestra dulçor,
por aquel gozo infinito
que te reveló en Egito
el çeleste enbaxador,

---

31   Amador "asçenso".
37   En el manuscrito "benigna", que contradice la rima.
41   *Nuestra dulçor*, femenino como tantos otros en *or*;
"nuestra claror", VII; "una mortal dolor", *Proverbios*, II; "la
furor", ib., XXXVI; "la temor", ib., LVII; "la deshonor",
ib., LXI; "la gran furor", *Ponza*, LXXIV; "las grandes calores", *Ponza*, LXXXVII; "la fulgor", *Defunción*, XV; "sincera
claror", *Soneto* VII.

45 e la nueva deseada
de la paz,
gózate, batalla e az
de huestes bien ordenada.

[VII]

Gózate, flor de las flores,
50 por el gozo que sentiste,
quando al santo niño viste
entre los sabios dotores,
e desputando en el templo
los venc[ía];
55 gózate, Virgen María,
una sola e sin exiemplo.

[VIII]

Gózate, nuestra claror,
por aquel acto divino
que por tu ruego benino
60 el tu Fijo e Fazedor

---

45 Amador "en la nueva".
51 Amador "el sancto".
54 Así Amador, pero sin advertir que el códice dice claramente "venció".
56 Amador "enxemplo".

fizo, quando el agua en vino
convertió,
e, fartando, consoló
la fiesta de ar[qu]etriclino.

[IX]

65   Gózate, nuestra esperança,
fontana de salvaçión,
por la su resureción,
reposo nuestro e folgança,
e de tus dolores calma
70   saludable,
goza nuestro inextimable,
gaude, Virgo, Mater alma.

[X]

Gózate, una e señ[e]ra
bendita por elección,

---

64 *Archetriclino* "el que presidía los banquetes", aplicado al dueño de la casa en las bodas de Canaán. El término
lo pone la Vulgata en boca de Jesucristo, cuando mandó
llenar las ánforas y presentarlas al dueño: "Haurite nunc
er ferte architriclino. Et tulerunt. Un autem gustavit archi-
triclinus aquam vinum factam...", San Juan, cap. II. Las
Cántigas lo emplean en este milagro: "Cómo Deus ffez vynno
d'agua ant' archetriclinno, | ben assí depois sa Madr' acre-
centou o vinno", XXII en el códice del Escorial.
73 Así Amador, pero en el códice "señora".

75   por la su sancta Accensión,
        entre los sanctos primera,
        gózate por tal noveza,
        Mater Dei,
        prinçipio de nuestra ley,
80   gózate por tu grandeza.

                    [XI]

        Gózate, Virgen, espanto,
        e tormenta del infierno;
        gózate, *sancta ab eterno,*
        por aquel resplandor santo
85   de quien fuiste consolada
        e favorida;
        gózate, de afflictos vida,
        desde *ub iniçio* criada.

                    [XII]

        Gózate, sacra Patrona,
90   por graçia de Dios asumpta;

        75   Así en el códice; Amador, interpretando erróneamen-
    te el sentido, corrige "tu": se trata de la ascensión de Jesu-
    cristo.
        77   *Noveza,* "novedad"; "Más admirativo que non pavo-
    roso | de tal noveza que tarde acaesçe", Santillana, *Defun-
    ción,* IX.
        83   Amador "in aeterno".
        85   Amador "fuste".
        90   Así en el códice: respetamos la lección *asumpta: jun-
    ta,* porque no se resiente sensiblemente la rima.

non dividida, mas junta
fué la tu digna persona
a los çielos, e asentada
a la diestra
95   de Dios Padre, Reyna nuestra,
e de estrellas coronada.

[XIII]

Por los quales gozos doze,
donzella del sol vestida,
e por tu gloria inffinida,
100   faz tú, Señora, que goze
de los gozos e plazeres
otorgados
a los bienaventurados,
bendita entre las mujeres.

[A NUESTRA SEÑORA
DE GUADALUPE] *

EL MARQUÉS DE SANTILLANA Á NUESTRA SEÑORA
DE GUADALUPE, QUANDO FUÉ A ROMERÍA EN EL
AÑO DE CINQÜENTA E ÇINCO

[I]

Virgen, eternal esposa
del Padre, que d'*ab initio*
te crió, por benefiçio
desta vida congoxosa;
5   del jardín sagrado rosa,
e preçiosa margarita,
fontana d'agua bendita,
fulgor de graçia infinita

---

* Texto de *M*. Escribió el Marqués esta composición a
fines del 1455, cuando a la vuelta de la campaña que don
Enrique emprendió contra los moros en la primavera y verano de este año, fué Santillana al santuario de Guadalupe.

por mano de Dios escrita,
10   ¡O *Domina* gloriosa!

[II]

Inefable, más fermosa
que todas las muy fermosas,
thesoro de santas cosas,
flor, de blanco lilio closa,
15   abundante, fructuosa,
de perfetta caridad,
palma de grant umildad,
esfuerço de umanidad,
armas de la xripstiandat
20   en qualquier ora espantosa.

[III]

Fértil oliva speçiosa,
en los campos de Sión,
cántica de Salomón,
de prosapia generosa;

---

9   "Escripta" en el códice.
15   En el manuscrito "gabundante", ¿errata, o alteración
de algún derivado de GAUDIUM?
16   Amador "calidat".
24   *Generosa*, "de buen linaje". "De ilustre origen: yo los
fize generosos | e reales", Santillana, *Bias*, LXXXV.

25 oriental piedra preçiosa,
 tupaça de real mina,
 electa por santa e dina
 en la presencia divina,
 a quien el çielo se enclina,
30 como a Reyna poderosa.

[IV]

 La tu claridat lumbr[osa]
 benigna benignidat,
 serena serenidat,
 vida onesta, religiosa,
35 la sentencia rigurosa,
 causada por la muger
 en favor de Luzifer,
 tornó de ser a non ser;
 ¿quál otro pudo fazer
40 obra tan maravillosa?

---

26 *Tupaça* por amoldación al género, y también *estupaça* por contaminación: "De fina estupaça asimesmo ví | en ella esculpidos con grand maestría", Santillana, *Ponza*, VI; "Color de la piedra d'estupaça fina", ib., XC; "Nin gema d'estupaça tan fulgente", *Soneto* IX.

27 En el manuscrito "digna".

31 Amador "La tu charidad piadosa", que no tiene fundamento alguno: en el manuscrito "lunbrera", corregido por la rima y por la estrofa VI.

34 Amador "vida honesta e religiosa".

[V]

De los reyes radïosa
estrella, e su recta vía,
fiesta de la Epifanía,
[biblioteca] copïosa,
45   testos de admirable glosa,
historia de los pro[f]etas,
pavés de nuestras saetas,
perfección de las complctas,
e de todas las eletas
50   Imperatriz valerosa.

[VI]

Celestial lunbre lunbrosa;
nuevo sol en Guadalupe,
perdona, si más no supe,
mi lengua deffectuosa.
55   Ninguna fué tan verbosa
de los nuestros preceptores,
santos e sabios doctores,
qu'en loar los tus loores

___

44   En el manuscrito "bibiolecta".
45   Amador "texto". La frase *texto e glosa*, "narración, escrito", era muletilla de los poetas del siglo XIV y XV: "Allí de
Passiffe el testo e la glosa", Santillana, *Ponza*, XLVIII;
"Pruévolo por testo o glosa", Ferrant Calavera, *Baena*, número 534.

60 　no recreçiessen errores,
　fuese rimo, fuese prosa.

[ORACION]

　Invencible, victoriosa
　de nuestros perseguidores,
　refugio de pecadores,
　pausa de todos dolores,
65 　punto, fin a mis langores,
　Madre misericordiosa.

65　Amador corrige "pon tú fin", y es posible que así dijese el original: sin otras pruebas, respetamos el manuscrito.

[QUERELLA DE AMOR] *

DEZIR QUE FIZO ENYEGO LOPEZ DE MENDOZA

[I]

Ya la gran noche passava
e la luna s'esccondía;
la clara lumbre del día
radïante se mostrava;
al tiempo que reposava
de mis trabajos e pena,
o[í] triste cantilena,
que tal Cooito pronunciava:
"Amor cruel e bryoso,
mal aya la tu alteza,
pues no fazes igualeza,
seyendo tan poderoso."

5

10

---

* Texto de *A*.
2 *M* "s'estendía".
8 *M* "que tal cançión". "Cooito" de *A* ¿será errata o
una forma por *Cocito*, río de lágrimas del infierno, donde el
Marqués pone a Macías en el *Infierno de los enamorados?*

[II]

Desperté, como espantado,
e miré donde sonava
el que de amor se quexava
bien como dagnificado;
vi hun home ser llagado
de hun gran colpe de flecha,
[e] cantando ta[l] endecha
con semblante atribu[la]do:
"De ledo que era, triste,
ay Amor!, tú me tornaste,
la ora que me quitaste,
la se[ñ]ora que me diste."

[III]

Díxele: "¿Por qué fazedes,
se[ñ]or, tan esquivo duelo,

---

17 *M* "vi un onbre seer llagado". En el *Infierno de Amores* de Garci Sánchez de Badajoz también se encuentra a Macías "de las heridas llagado".
18 *M* "de gran golpe de una flecha".
19 *M* "e cantava tal endecha"; *A* "cantando tan endecha".
20 *A* "atribudo".
23 *M* "tiraste".
24 *A* "senyora". Estos cuatro versos no constan en los que el Marqués cita de Macías en su *Proemio*.
25 *M* "Preguntele".

o si puede aver consuelo
la cuyta que padecedes?"
Respondiome: "Fallaredes,
30   mi cuyta ser tan esquiva,
que jamás, en quanto viva,
cantaré según veredes:
"Con tan alto poderío
Amor nunca fué juntado,

---

29   Los últimos ocho versos son así en *M:*

Respondiome: "Non curedes,
señor, de me consolar;
ca mi vida es querellar,
cantando así como vedes:
Pues me fallesçió ventura
en el tiempo del plaçer,
non espero aver folgura,
mas por siempre entristeçer."

La última canción, atribuída en Stuñiga, 190, a Villalo-
bos, la rehace así Hugo Albert Rennert, *Macías, o namorado, a Galicián trobador,* XII, suponiéndola originalmente gallega:

Pois me falleceu ventura
en o tenpo de prazer,
non espero aver folgura,
mais por senpre entristecer.

31   *Jamás,* "siempre": "Tal canción debe cantar | jamás,
pues le pertenece", IV: "Mi vida será jamás amargosa", Fran-
cisco Imperial, *Baena,* núm. 237.
34   Esta canción inicia una poesía atribuída en *Baena,* número 309, a Macías. Es singular que Santillana ponga aquí
en boca de Macías esta canción, que en su *Proemio,* XVI,
atribuye a Alfonso Gonçales de Castro. La reconstitución
de Hugo Albert Rennert, v, es como sigue:

Con tan alto poderío
Amor nunca foi juntado
nen con tal orgullo e brío
qual eu ví por meu pecado,

35   ni con tal ergullo e brío
    qua[l] yo ví por mi pecado."

[IV]

    —"Amigo: segun par[e]ce,
la dolor que vos aquexa,
es alguna que vos dexa,
40   e de vos non s'adolece."
[E] díce[me]: "Quien padece
cruel plaga por amar,
tal cançión debe cantar
jamás, pues le pertenece:
45   "Cativo, de miña tristura
ya todos prenden espanto,
e preguntan qué ventura
es, que m'atormenta tanto."

---

36 En el manuscrito "qua".
37 *A* "parasce"; *M* "Díxele".
41 *A* "Dice: Quien padece"; *M* "Respondiome".
45 Esta canción se atribuye también en *Baena,* número 306, a Macías, bien que alterado el último verso: "foy que me tormenta tanto", y en el *Proemio,* XV, de Santillana. Rennert, I, da la siguiente reconstitución del supuesto original gallego:

        Cativo, de mia tristura
        ja todos prenden espanto,
        e preguntan qué ventura
        foy que me tormenta tanto.

[V] *

50
—"¿No puede ser al sabido,
repliqué, de vuestro mal,
o la causa especïal
por que assí fuestes ferido?"
Respondió: "Troque y olvido
me fueron assí a ferir,
55
por que me convïén dezir
este cantar dolorido:
"Crueldat o trocamento
con tristeza me conquiso;
pues me lexa quien me priso,
60
ya non sey amparamento."

[VI]

Díxele: "Non vos matedes,
car non soys vos el primero,

---

* En *M* esta estrofa va después de la siguiente.
54 *M* "así ferir".
55 *M* "por do".
57 En *Baena*, núm. 18, se atribuye esta canción a Villasandino; y Santillana, *Proemio*, VIII, a don Juan, Arcediano de Toro. En Baena con algunas variantes "poys me
lexa quen", "ja", Rennert, X, restituye así los dos últimos
versos:

> pois me leixa quen me priso,
> ja non sei anparamento.

61 *M* "quexedes".

nin sereys el postrimero
que sabe del mal qu'avedes."
Respondiome: "Non curedes,
se[ñ]or, de me consolar,
que mi vida es querellar,
cantando según veredes:
"Pero te sirvo sin arte,
¡ay amor, amor, [amor]!,
grant cuyta de mí nunca se parte."

[VII]

Su cantar ya non sonava
como d'ante, nin s'o[ía];
manifiesto se ve[ía]
que la muerte a él quexava.

---

64   *M* "saben".
65   *M* pone aquí los versos 5-8 de la estrofa III, con
esta variante: "que mi cuyta es".
69   Santillana, *Proemio*, XVI, y de acuerdo con él *Baena*,
número 251, atribuye esta canción a su abuelo Pero Gonçalez
de Mendoza. En *Baena* varía el último verso "grant cuyta
de mi parte". Rennert, suponiendo infundadamente que *sirvo*
no es gallego, reconstituye así el supuesto original:

> Pero te servo sin arte,
> ¡ay amor, amor, amor!
> a gran coita de mi parte.

70   En el manuscrito "amor" sólo dos veces.
71   Santillana alteraría el verso, no entendiendo que "grant
cuyta de mí parte" significaba "aparta de mí tal cuita".
73   *M* "segunt antes".
74   *M* "mas manifiesto se vía".
75   *M* "lo aquexava".

[Pero] jamás non cessava
nin cesó con gran crebanto
este dolorido canto,
a la sazon que [expirava]:
80   "[Pois] plazer no[n] poso aver
a meu querer, de grado
seray morer, mays no[n] ver
perder meu ben, cuytado.

FIN

Por ende quien me creyere,
85   castigue en cabeça agena;
e non entre en tal cadena,
do non salga, si quisiere.

---

76   Así en *M; A* "e jamás".
77   *M* "quebranto".
79   Así en *M; A* "sifrava".
80   Así en *M; A* "Pues que plazer no". Hugo Albert
Rennert, IX, restaura así el original:

> Pois prazer non posso aver
> a meu querer e de grado;
> mais val morrer que non ver
> meu ben perder ¡ai coitado!

Con menos violencia puede hacerse una reconstitución más
fundada:

> Pois prazer non posso aver
> a meu querer, de grado
> será morrer, mays non ver
> perder meu ben, ¡cuytado!

82   *M* "seray morrer e mas non ver".
83   *M* "meu ben perder".

[CANCION] *

DEL MARQUÉS A RUEGO DE SU PRIMO
DON FERNANDO DE GUEVARA

[I]

Antes el rodante çielo
tornará manso e quïeto,
e será piadosa Aleto,
e pavoroso Metelo,
5 que yo jamás olvidase
tu virtud,
vida mia, y mi salud,
nin te dexase.

[II]

El Cesar afortunado
10 cesará de combatir,

---

* Texto de *M*.
3 En el manuscrito "Alecto".

e fizieran desdezir
al Priámides armado,
antes que yo te dexara
ídola mía,
nin la tu filusumía
olvidara.

[III]

Cicerón tornará mudo,
e Társides virtuoso,
Sardanapálo animoso,
torpe Salomón e rudo,
en aquel tiempo que yo,
gentil criatura,
olvidase tu figura,
cuyo só.

[IV]

Etiopía tornará
úmida, fría, nevosa,
ardiente Sicia e fogosa,
e Scilla reposará,

---

12 ¿Paris?
18 ¿Tersites?
19 Amador "Sardanápalo", como hoy se pronuncia; nosotros lo hacemos grave, como en los antiguos poetas.
27 La antigua Scitia o Rusia europea: "¿Quieres no la Syçia fría | donde el viento boreal | faze del agua cristal", Santillana, Bías, XXXVI.

enantes que se partiese
30 l'ánimo mío
del tu mando e señorío,
nin pudiese.

[V]

Las fieras tigres farán
antes paz con todo armento,
35 avrán las arenas cuento,
los mares s'agotarán,
que me faga la fortuna
si non tuyo,
nin me pueda llamar suyo
40 otra alguna.

[VI]

Ca tú eres caramida,
e yo soi fierro, señora,
e me tiras toda ora
con voluntad non fingida.
45 Pero no es maravilla,
ca tú eres

---

29 Amador altera malamente estos versos: "antes que
el animo mío | se partiesse".
41 Calamita.

espejo de las mugeres
de Castilla.

[VII]

Fin darán las Alcïones
50 al su continuo lamento,
e perderán sentimiento
las míseras Pandïones
del Thereo sanguinoso,
excelerato,
55 quando yo te ssea ingrato,
nin dubdoso.

[VIII]

En Lípari cessará
antes viento, y será calma;
el que plantare la palma
60 prestamente gozará
del su fructo, que pudiese
yo dexarte,
trocarme, nin olvidarte,
nin sopiese.

---

48 Alcione, que lloró inconsolablemente la muerte de su
esposo Ceix, hasta que ambos fueron convertidos en las aves
de su nombre.
52 Las dos hijas de Pandión, Progne, esposa de Tereo
y Filomela, víctima de la crueldad de su cuñado.

[IX]

65   E de todas otras tierras
muy longincas e çercanas
do se fallarán umanas;
en las planicies e sierras
tú serás la más fermosa
70   e más polida,
más onesta, e más sentida,
e más graciosa.

[X]

¿Quién fué tanto enamorado
que sin coraçón amase,
75   ni pudiese, ni bastase,
ca del todo es denegado?
Assi que non puede ser
que otra amé,
pues mi ánimo dexé
80   en tu poder.

[XI]

Verdat sea que de grado
te plugo lo posseyese

66   En el manuscrito "longinicas".

en tanto que combatiese,
mas tuyo e por tu mandado:
85 Pero sin otra tardança
lo tornó,
quien primero lo firió
con tu lança.

[XII]

Cansado soy de fablar
90 e no sé qué más te diga,
mi bien y mi dulce amiga,
sino tanto que pensar
deves que mi conclusión
es sin fallir
95 padesçer, penar, morir
so tu pendón.

---

84 Se refiere al corazón.
94 *Sin fallir*, "sin falta, sin doblez': "Lealmente e sin
fallir, | sin lisonja e muy syn arte", Villasandino, *Baena*,
número 118.

DEÇIR *

QUE FIZO EL MARQUÉS DE SANTILLANA EN LOOR DE LA REINA DE CASTILLA **

[I]

Calïope se levant[e]
e con la harpa d'Or[f]eo
[las] vuestras virtudes cante,
doña de gentil asseo;

---

* Texto de *M*.
** D.ª María de Aragón, hija de D. Fernando de Ante-quera.
1 "Levanta" en *M* y Amador; pero la corrección está indicada por la rima.
3 El manuscrito "e vuestras".
4 *Asseo*, 'donaire, belleza': "Gynebra e Oriana | e la noble reyna Iseo, | Minerva e Adriana, | dueñas de gentil asseo", Pérez de Guzmán, *N.ª B.ª de AA. E.*, 19, 651; "Crias nobles dueñas | de gentil asseo", Diego de Valencia, *Baena*, número 502; "Ellas con grant alegría | respondieron con asseo", *Baena*, núm. 242; "La color perdida ,la vista turbada, | triste e perdidosa del su buen asseo", Pero Véléz, *Baena*, núm. 320.

5   que yo fablo e sobreseo,
e mi lengua non se atreve
a vos loar quanto deve,
visto en vos lo que veo.

[II]

Fortuna no discrepante
10   a sabia Naturaleça,
tales dos vuestro semblante
fabricaron sin pereça:
de su perfecta belleça
con voluntat muy sincera
15   Venus vos fiço heredera,
e Palas de su destreça.

[III]

Pues Dïana concordante
quiso sêr en vos obrar;
e como diestro mediante,
20   pensó de vos procurar
honestat (que numerar
tal virtut non se podría);

---

5 *Sobreseer*, "callar, omitir": "Quanto a los varones aquí sobresseo", Santillana, *Ponza*, XXXVI; "Otras ví que sobresseo | por la grand prolixidat", *Triunfete*, XIII.

17 Amador "E Diana".

21 Amador "oy numerar".

pues Juno con alegría
vos dexó su buen fablar.

[IV]

25

De claridat emicante
Aurora dotar vos quiso,
ca vivo sol coruscante
es centro del vuestro viso.
La gentil fija de Niso
30
del rey de Creta enartada
nunca fué tan adonada,
nin tan fermoso Narçiso.

[FIN]

El vuestro angélico viso
por çierto no deve nada
35
al que la sancta embaxada
decendió del para[í]so.

---

23 Amador "o Juno".

28 *Viso*, "vista": "Como quien mira de grandes alturas |
los ínfimos valles al viso plazientes", Juan de Padilla, *N.ª B.ª
de AA. EE.*, 19, 309; "Fué de la lumbre del cielo herido | y
con las escamas su viso perdido", ib. 292.

30 Escila, sobornada por Minos, rey de Creta, para que
cortase a su padre el cabello, fundamento de su poder. *Enartar*, "engañar, sobornar": "Eres mentiroso, falso en muchos
enartar", Hita, 172, ed. de Riv.

31 Amador leyó malamente "adornada". *Adonado*, "dono-
so, hermoso", era voz común: "E sean con él por devysa |
vestros dientes, boca e risa | e dezir muy adonado", Fran-
cisco Imperial, *Baena*, núm. 234.

36 Amador corrige "descendió", pero *decender* es trivial
en la antigua lengua.

OTRO DEZIR *

[I]

Non es umana la lumbre
que de vuestra faz procede;
a toda beldad excede,
expresando çertidumbre.
Fuente de moral costumbre,
donzella purificada,
do quiso fazer morada
la discreta mansedumbre.

[II]

Vos sois la que yo elegí
por soberana maestresa,
más fermosa que deesa,
señora de quantas ví.

---

* Texto de *M*.
10 *Maestresa*, 'dueña, señora', como en fr. Véase Santillana, *Ponza*, CVII.

Vos soys la por quien perdí
todo mi franco alvedrío,
15   donzella de onesto brío,
de cuyo amor me vencí.

[III]

O si cántigas de amores
yo fago, que algunos plegan,
çertas, por dicho se tengan
20   que vuestros son los loores.
Donzella, cuyos valores
con pluma y lengua recito
en fablas e por escrito,
sanad mis tristes langores.

[IV] *

25   Donzella, sed vos la lança
de Ar[qu]iles, que, si fería,

---

17   Amador "E si".
18   Amador lee "yo faga que algunas plegan", pero el
manuscrito no ofrece duda.
22   Amador "con pluma e lengua rescito".
*   Amador intercala la siguiente estrofa:

> Nunca tal fué Virginea,
> non la muger de Sicheo,
> non la fija de Peneo,
> Atalante, nin Altea.
> Donçella, todo ome crea
> que en ningund otro lugar
> nunca me verán amar
> muger, que mi muerte vea.

26   Escrito "Archiles".

prestamente convertía
la dolor en buena andança.
Mi bien y mi contenplança,
si firió vuestra presencia,
no tarde vuestra clemencia
con saludable sperança.

[V]

Ca non es tan poderoso
vuestro **no,** que me defienda
de seguir la tal contienda,
aunque biva congoxoso.
Vuestro gesto desdeñoso
no fará, ni yo lo creo,
donzella, que mi deseo
non vos recuente quexoso.

[FIN]

Viso angélico, gracioso,
donzella de tal aseo,
qual yo nunca vi ni veo,
datme vida con reposo.

---

34 *Defender,* "impedir, prohibir' : "Las aguas crescidas les
ya defendían | llegar a las fustas que dentro dexavan", Mena,
El Lab. de Fort., 180; "Pues quiso gostar por amor de loa |
del fruto del árbol quel'era defesso", Ferrant Calavera, *Baena,* núm. 533; "Que se defiendan los juegos y las apuestas,
y luchas, y bracerías, y todos los otros exercicios de conten-
dón", Gonzalo Ayora, *Cartas,* XIII; "Ningunas armaduras
defyende que non trayan", *Fernán González,* 53 b, ed. de
Carrol Mardén.

OTRAS COPLAS

QUE FIZO EL SEÑOR MARQUÉS DE SANTILLANA

[I]

Gentil dueña, tal paresçe
la çibdat, do vos partistes,
como las conpañas tristes,
do buen capitán fallesçe.
De toda beldat caresçe,
ca vuestra filosomía
el çentro esclaresçería,
do la lumbre se aborresçe.

[II]

Paresce como las flores
en el tiempo del estío,

---

1 *M* "Gentil dama".
4 Así en *Y* y *M*; Amador "do el buen".
6 *M* "filusumia".

a quien fallesçe el rrocío
e fatigan las calores:
perdió todas sus valores,
perdiendo vuestra presençia,
15	cuya imagen en absençia
vençe buenas e mejores.

[III]

Como selva guerreada
del aflato de Sito[ñ]o,
sobre quien pasa el otoño
20	e su rrobadora elada,
finca sola e despoblada,
tal fincó vuestra cibdat
e con tanta soledad
qual sin Ettor su mesnada.

[IV]

25	Si las puertas sabias fueran,
en tal rrobo non callaran

11	*M* "fallesció rocío"; Amador "fallesçe roçío".
15	*M* "cuya imagen e prudençia".
18	*Aflato*, latinismo en lo antiguo frecuente: "Porque por razón del verso, que pide aflato divino", Juan de Pineda, *Dial. fam. de la agric. crist.*, I, 31; véase Santillana, *Preg. de nobles*, V, y *Soneto* XI. *Sitonio* parece debe pronunciarse con ñ para la rima.
25	En *M* malamente "fueron" y así luego "callaron", "clamaron", etc.

mas agramente clamaran
vuestra partida e plañeran;
e los sus quiçios rrugieran
30   más que non los de Tarpea,
quando su fermosa prea
con el [Metelo] perdieran.

[V]

La gente deffavorida
plebeas [e] cibdadanos,
35   e los [patriçios] ançianos
lloran la vuestra partida.
Llore la cibdad perdida,
pues que se perdió, perdiendo
a vos, a quien non entiendo
40   ygual en la humana vi[d]a.

[VI]

Lloren los enamorados,
e las donzellas e donas,

---

32 *Y* "Ternello"; *M* "Metello". Es el hecho que antes
cantara Imperial: "De la república sea amador, | más que
Medelo, que tan virilmente | defendió a Torpea al Empera-
dor", *Baena*, núm. 226.
33 *M* "desfavorida".
34 *M* "plebeyos e"; en *Y* falta "e".
35 Así en *M*; *Y* "platicas".
36 *M* "lloren".
40 En *Y* "via" es errata.

lloren las nobles matronas
con todos los tres estados:
45   estremescan los collados,
las selvas e las montañas
el gemir de sus entrañas,
por ser de vos apartados.

[VII]

De mí, loco ynfortunado,
50   por amores tan sandío,
que soy vuestro mas que mío,
¿qual dirés que soy quedado?
[No fue tan] desconsolado
Troylo, quando partió
55   de aquella que tanto amó,
como yo, nin tan penado.

---

50   "Sandío: mío", Santillana, *Soneto* **XX**: "Sandía: fazía", *Planto de Pantasilea*, VIII; "Fío: sandío", "fía: sandía", Villasandino, *Baena*, núm. 144; "Sandío: judío", Juan
de Padilla, *N.ª B.ª de AA. E·*, 19, 301. De esta acentuación
hay abundantes ejemplos clásicos; sin embargo, *sándio* es más
general.
53   Así en *M; Y* "quedando", acaso por distracción del
copista con la palabra anterior.
54   Así en *M; Y* "Troyalo". Troilo, hijo de Príamo, muerto por Aquiles.
56   Amador intercala aquí una estrofa y toda una canción de tres estrofas de asunto enteramente extraño.

[FINIDA]

De sí mesmo enamorado
Narciso, quando murió,
por çierto non acabó
60   por amores más penado.

OTRO DEÇIR *

[I]

Cuando la fortuna quiso,
señora, que vos amase,
ordenó que yo acabase
como el triste de Narciso:
non de mí mesmo pagado,
mas de vuestra catadura,
fermosa, neta criatura,
por quien vivo e soy penado.

[II]

Quando bien he trabajado,
me fallo fondo en el valle:
no sé si fable ni calle...
¡tanto soy desesperado!

---

* Texto de *M*.

Deseo non desear,
e querría non querer:
15   de mi pesar he plazer,
y de mi gozo pesar.

[III]

Lloro e río en un momento
e soy contento e quexoso;
ardid me fallo e medroso:
20   tales disformezas siento
por vos, dona valerosa,
en cuyo aspecto contenplo
casa de Venus, e tenplo,
donde su ymagen reposa.

[IV]

25   Aurora de gentil mayo,
puerto de la mi salud,
perfección de la virtud
e del sol candor e rayo;
pues que matar me queredes
30   e tanto lo desseades,
bastevos ya que podades,
si por vengança lo avedes.

---

19   *Ardido*, 'valiente'.

[V]

¿Quién vió tal feroçidat
en angélica ffigura?
35   Nin en tanta fermosura
indómita crueldat?
Los contrarios se ayuntaron,
cuytado, por mal de mí.
Tiempo ¿dónde te perdí,
40   que así me galardonaron?

[VI]

Succesora de Lucina,
mi prisión e libertad,
langor mío e sanidad,
mi dolençia e medicina;
45   pensad que muriendo bivo,
e biviendo muero e peno:
de la vida soy ageno,
e de muerte non esquivo.

[VII]

¡O, si fuesen oradores
50   mis sospiros e fablasen,
porque vos notificasen
los infinitos dolores,

que mi triste coraçón,
padesce por vos amar,
55   mi folgura, mi pessar,
mi cobro e mi perdición!

[VIII]

Cual del cisne es ya mi canto,
e mi carta la de Dido:
coraçón desfavorido,
60   ca[u]sa de mi grand quebranto,
pues ya de la triste vida
non avedes conpasión,
honorad la deffunssión
de mi muerte dolorida.

[FINIDA]

65   ¡Guay de quien así conbida,
e de mi tiempo perdido!
Pues non vos sea en olvido
esta canción por finida:

---

60 En el manuscrito "cabsa", sin valor en la pronunciación.

CANCION *

[I]

Bien cuidava yo servir
en tal lugar,
do me fizieran penar,
mas non morir.

[II]

Ya mi pena no es pena
¡tanto es fuerte!;
non es dolor nin cadena,
mas es muerte.

---

* Texto de *M*, como la anterior, de la cual es continuación.

[III]

    ¿ Cómo se puede sufrir
10   tan gran pesar?;
    ca cuidava yo penar,
    mas non morir.

[IV]

    Ciertamente non cuidara,
    ni creyera,
15   que deste mal peligrara,
    ni muriera.

[V]

    Mas el triste despedir,
    sin recabdar,
    no me fué solo penar,
20   mas fué morir.

[LOOR A DOÑA JUANA DE URGEL CONDESA DE FOX] *

[I]

No punto se discordaron
el cielo e naturaleza,
señora, quando criaron
vuestra plaziente belleza:
5   quisieron e demostraron
su magnífica largueza,
segunt vos proporcionaron,
e ornaron de gentileza.

[II]

Después de la más cercana
10   a la fama en fermosura,

---

* Texto de *M*.
7 *Proporcionar* en la acepción de "formar y ordenar".

ques más divina que umana,
visto su gesto e figura,
vos, señora doña Juana,
sois la más gentil criatura
15   de quantas actor explana,
nin poeta en escriptura.

[III]

Non se piensen, ni pensedes
que vos fablo por amores,
mas porque vos merescedes
20   muy más insignes loores;
que amor, gracias e mercedes
tantos tengo de dolores,
que, sin saberlo queredes
plañideres mis langores.

[IV]

25   Miren vuestra compañía,
e verán vuestra excellencia,
generosa fidalguía
e gallarda continencia;

---

15 La falsa renovación *actor* por *autor* era frecuente:
"Por ende dize el actor", Villasandino, *Baena*, núm. 108; "De
lo que se engendra yo soy el actora", Santillana, *Ponza*, CX.

honestat e policía
30   vos aguardan, e prudencia:
certas más vos loaría,
si bastase mi sciencia.

[FINIDA]

Segunt vuestra loçanía
bien vale la conseqüencia:
35   perdonat por cortesía
la torpe c ruda eloqüencia.

---

29   *Policía*, "pulcritud, atildamiento': "Desseé sabiduría, |
porqu'es este mi déporte, | autos de cavallería, | la estremada
pulicía, | exerçiçios de la corte", Alvarez Gato, *N.ª B.ª de
AA. E.*, 19. 249.

[EL AGUILANDO] *

[I]

Sacadme ya de cadenas,
señora, e fazedme libre:
que Nuestro Señor vos libre
de las infernales penas.

---

* Texto de *M*. El tema del aguinaldo en las canciones amorosas de los trovadores era un lugar común: "Pero con mesura, como quien se omilla, | con gran reverençia merçet vos demando | que ssea otorgado en rico aguilando | aquesto que pido por esta cartilla", Alfonso de Baena, núm. 358; "Aunque deves lo querer, | por el gran loor que cobras, | qu'en tal noche tales obras | se deven de prometer, | por quanto he padeçido | en tu carcel y cadenas, | otórgame por estrenas | galardón de lo servido", Alvarez Gato, *N.ª B.ª de AA. E.*, 19, 226: "Pues demando aguinaldo | senyora por buen estrena | remediar sobre mi pena | e después de mi tomaldo", García de Pedroza, *Cancionero*, manuscrito *A* de la Biblioteca Real, fol. 11.

5   Estas sean mis estrenas,
       esto solo vos demando,
       este sea mi aguilando;
       que vos faden fadas buenas.

[II]

       Días ha que me prendistes
10   e sabedes que soi vuestro,
       dias ha que vos demuestro
       la llaga que me fezistes.
       Desde aquellos dias tristes,
       quando primero vos ví,
15   dias ha que me vos dí,
       ya sea que lo encubristes.

[III]

       Por tanto, señora mía,
       usad de piadosas leyes
       por estos tres sanctos Reyes
20   e por el su sancto día.
       Por bondat o fidalguía
       o por sola humanidat,
       vos plega mi libertat,
       o por gentil cortesía.

---

5 *Estrena*, "regalo'. V. los ejemplos anteriores.

[FINIDA]

25   Ca vuestra filusumía
         deniega ferocidad,
         e muestra benignidad
         sin ninguna villanía.

---

26 *Denegar*, 'excluir' : "Ca non es la perfección | mucho
fablar, | mas obrando, denegar | luengo sermón", Santillana,
Prov., LXII.

[CARTA DEL MARQUES A UNA DAMA] *

[I]

Gentil dama, cuyo nombre
vos es assí conviniente
como a Jhesu Dios y honbre
e al sol claro e luziente,
mi desseo non consiente
que ya no sepa de vos;
pues consoladme, por Dios,
con letra vuestra plaziente.

[II]

Plaziente digo, señora,
do vuestro mote no sea,
el qual, si non se mejora,
¡guay de quien al non desea!

---

* Texto de *M*. Las estrofas se enlazan repitiendo la
última palabra.

Proveed que Dios os provea
de lo que más desseades
15   a quien tanto fatigades,
e vuestro aspecto guerrea.

[III]

Guerrea con mano armada
e béllico poderío
la mi vida atormentada,
20   e triste coraçón mío.
Qual sin patrón el navío,
soy, después que no vos veo,
vida mía y mi deseo,
cuyo só más que no mío.

[IV]

25   Mío no, mas todo vuestro
soy después que me prendistes,
e si tanto non lo muestro,
es porque lo deffendistes.
Mis dias sean más tristes
30   que de otro enamorado,
si no vivo más penado
que todos quantos o[i]stes.

---

28 *Deffender*, "prohibir', como en otros ejemplos anteriores.

[FINIDA]

¿O[i]stes jamás, o vistes
onbre d'amor tan ligado,
que no soi escarmentado
de quanto mal me fezistes?

DEÇIR DE UN ENAMORADO *

[I]

Diversas vezes mirando
el vuestro gesto agraciado,
me soy tanto enamorado,
que siempre vivo penando.
Mas quien non vos amará,
contemplando tal belleza,
o todo çiego será,
o en él non habitará
discrepçión nin gentileza.

[II]

Ca singular, non comuna,
vos ama toda la gente,

---

* Texto de Amador de los Ríos.
10 *Comuna,* como antes *vila, insignas:* "Siempre es vues-
tro semblante | en una forma constante, | no comuna, mas
estrema", Mena, *N.ª B.ª de AA. E.,* 19, 189.

en virtudes exçellente,
de verdades la coluna:
pues non de maravillar
15   es por mucho que vos ame,
nin lo deveis esquivar,
nin se deve de penssar
que en mi vida vos dessame.

[III]

E esto causa la raçón,
20   e a mí non me desplaçe,
e todo lo satisfaçe
vuestra mucha perfección:
la qual bien reconosçida,
es mejor por vos morir,
25   que por las otras la vida
ver en palmas sostenida,
e para siempre vivir.

[IV]

Si non, decit, si goçedes,
¿qual señora fizo Dios
30   tan perfetta como vos,
e quantas obras fazedes?
E si dezides verdat,

segunt que vos conosçés,
non tan solo de beldat,
35   mas en toda honestad
monar[c]a me llamarés.

[V]

Así non es maravilla
que muchos grandes señores
galanes e amadores
40   sean de vuestra quadrilla:
ca si esto acontesçe,
es porque vuestra persona
tiene por lo que meresçe,
segunt ya claro paresçe,
45   sobre todas la corona.

[VI]

Por do, si algo presumo
de mi flaco sentimiento,
es porque mi penssamiento
en vuestra virtut consumo:

---

33 *Conosçés, tenés, etc.*, eran frecuentes: en algunos trovadores, por ejemplo, Alvarez Gato, son la forma general, en
verbos en *er*, *querés*, *avés*, en *ar*, *andés*, *pensés*.

50 el qual pos vos acatado,
por vos non seer blasmado,
lo fallarés non absente;
que siempre me soys pressente:
tal de vos só enamorado.

[VII]

55 Mas por non vos ser prolixo,
çessaré, lo qual çessar
es difícil de obrar,
segunt que vos soy afixo;
ca por lexos que me veo,
60 yo nunca de vos me parto,
nin otra gloria posseo,
sinon, por ver mi desseo,
en loor de vos non farto.

[VIII]

Non por aquesto penssés
65 quiera ser de vos querido;
que si digo lo devido,
non, es quanto meresçés:
solo vos gradesçeré

---

51 *Blasmar,* "afrentar', como en Berceo, *S. M.,* 102.

que por vuestro me miredes
70 con tals ojos, que seré
el más constant que podré,
aunque la muerte me dedes.

[FIN]

Nunca ya me cansaré
d'escrivir lo que valedes,
75 nin servir vos çessaré,
la qual prueva dexaré
a las obras que veredes.

[CANCION] *

Por amor non saybamente,
mays como louco sirvente
hey servido a quen non sente
meu cuydado.

[I]

5   Nen jamais quer sentir
miña cuyta,
que per meu grand mal padesco,
la qual non poso sofrir,
tanto he muita.
Pero vejo que paresco,
e non sey pour quen sandesco,
e meu coraçaón consente

---

* Texto de *M.* Las canciones gallegas entre los trovadores castellanos de los siglos XIV y XV eran frecuentes. Los castellanismos y portuguesismos de esta composición no son ni más numerosos ni más graves que los de las demás poesías gallegas del *Cancionero de Baena.*

que moyrá como ynosçente
non culpado.

[II]

15   Ben sería que sirveses,
¡ay coraçaón!
e vivesses traballado,
si, por servir, atendeses
bon galardón.
20   Dos turmentos qu'as passado;
mays vejo pour meu pecado
que senpre som padescente,
e nunca bon continente
hey achado.

---

18 *Atender* en aquella vieja acepción de 'sperar': "Dos
días atendieron a yfantes de Carrión", *Cid*, 3537; acepción
comunísima en los trovadores: "Por Amor, con quien con-
tiendo, | toma conmigo contienda, | por matar a mí, que
atiendo | su merced que non atienda", Villasandino, *Baena*,
número 143; "Como quien plazer atiende | quando el sol más
se enciende", Pérez de Guzmán, *Baena*, núm. 553; "Que, pas-
sándola, seremos | en reposo | en el templo glorioso que aten-
demos", Santillana, *Prov.*, C.

[CANCION] *

Quien de vos merçet espera,
señora, ni bien atiende,
¡ay que poco se l'entiende!

[I]

Yo vos serví lealmente
con muy presta voluntat,
e nunca fallé piedad
en vos, nin buen continente:
antes vuestra crueldad
me faze ser padeçiente;
¡guay de quien con vos contiende!

[II]

Tanta es vuestra beldad,
que partir no me consiente

---

* Texto de *M*.

de servir con lealtad
a vos, señora exçelente.
Sed ya por vuestra bondad
gradeçida e conbiniente,
ca mi vida se despiende.

---

17 *Despenderse,* "consumirse".

[CANCION] *

Deseando ver a vos,
gentil señora,
non he reposo, pardiós,
punto ni ora.

[I]

5 Deseando aquel buen día
que vos vea,
el contrario de alegría
me guerrea.
Del todo muero por vos,
10 e non mejora
mi mal, jurovos a Dios,
mas empeora.

---

* Texto de *M*.
3 *Pardiós* como en el *Quijote*, I, 29; I, 47; II, 33.

[II]

Bien digo a mi coraçón
que non se quexe,
15 mas sirva toda saçón,
e non se dexe
de amar e servir a vos,
a quien adora;
pues recuerdevos, pardiós,
20 piedat agora.

[CANCION] *

Recuérdate de mi vida,
pues que viste
mi partir e despedida
ser tan triste.

[I]

5   Recuérdate que padesco
e padesçí
las penas que non meresco,
desque ví
la respuesta non devida,
10   que me diste;
por lo qual mi despedida
fué tan triste.

---

    * Texto de *M*. Esta canción probablemente la escribió
Santillana en Briviesca en 1440, cuando fué a buscar a la
frontera de Navarra a D.ª Blanca, prometida del Príncipe
D. Enrique. En honor de la Princesa hizo celebrar el Conde
de Haro suntuosísimas fiestas, en las que los caballeros lucie-
ron su destreza y su ingenio.

[II]

Pero no cuydes, señora,
que por esto
te fué ni te sea agora
menos presto;
que de llaga non fingida
me feriste;
así que mi despedida
fué tan triste.

[CANCION] *

Quanto más vos mirarán,
muy excelente prinçesa,
tanto más vos loarán.

[I]

Quien vos verá, çiertamente
5   non dudará si venís
de la real flor de lís,
visto vuestro continente:
y a todos nos bendirán,
por levar tan gentil pressa,
10   los que nos reçebirán.

---

* **Texto de *M*.**
1 Sabido es que el futuro podía en lo antiguo expresarse
con una partícula condicional o temporal: "Otro tanto biví-
rán | mis males en perdimiento | quanto mis bienes mora-
rán | so cargo del pensamiento", Mena, *N.ª B.ª de AA. E.*, 19,
188; "Yo te ruego que t'escudes | si podrás", Alvarez Gato,
ídem, **243.**

[II]

Yo dubdo poder loar
la vuestra mucha cordura,
onestat, graçia e messura
quanto se deve ensalçar.
Los que verdad fablarán,
tal navarra nin francesa
nunca vieron ni verán.

[III]

Tanta vida vos dé Dios,
princesa de grand virtud,
tantos bienes y salud
quantos meresçedes vos:
ca çertas por vos dirán
"virtuosa sin represa"
los que vos conosçerán.

[CANCION] *

Señora, qual soy venido,
tal me parto;
de cuydados más que farto
e dolorido.

[I]

5   ¿Quién no se farta de males
e de vida desplaciente,
e las penas desyguales
sufre, callando paçiente,
sinon yo, que sin sentido
10 me dirán
los que mis males sabrán,
e perdido?

---

* Texto de *M*.

[II]

Aved ya de mí dolor;
que los dolores de muerte
me çercan en de redor,
e me facen guerra fuerte.
Tomadme en vuestro partido
como quiera,
porque, viviendo, no muera
aborrido.

[III]

Pero al fin fazed, señora,
como querades; que yo
no seré punto ni ora
sino vuestro, cuyo só.
Sin favor o favorido
me tenedes
muerto, si tal me queredes,
o guarido.

---

20 *Aborrida*, 'aborrecida': "Torna, tórnate halagüeña, |
porque redemies mi vida | que ya la traigo aborrida | y no
quiero más vivir", Lucas Fernández, *Farsas y Eglogas*, pá-
gina 7.

28 *Guarir*, 'curar'. V. *Fernán-González*, 343 a., ed. de
Carrol Mardén; Santillana, *Bias*, XXIX.

[CANCION A LA REINA] *

Diga vos faga virtuosa
Reyna bien aventurada,
quanto vos fizo fermosa.

[I]

Dios vos fizo sin emienda
5   de gentil persona y cara,
e sumando sin contienda,
qual Gioto non vos pintara.
Fízovos más generosa,
digna de ser coronada,
10   e reyna muy poderosa.

[II]

Siempre la virtud fuyó
a la extrema fealdad,

---

   * Texto de *M*. Dirigida a D.ª Isabel de Portugal, que casó con D. Juan II en Madrigal el año 1446.
   5 *Persona*, 'presencia': "Gentil de persona, affable, fermoso", Santillana, *Ponza*, XXXV.
   7 Gioto, célebre pintor italiano.

e creemos se falló
en conpañiá de beldat;
15 pues non es quistión dubdosa
ser vos su propia morada,
illustre Reyna fermosa.

[III]

Pues loen con grand femençia
los reynos, donde nascistes,
20 la vuestra mucha exçelençia
e grant honor que les distes,
e la tal graçia graçiosa
por Dios a vos otorgada,
gentil Reyna valerosa.

---

15 *Quistión,* como el antiguo *lición,* rehecho posteriormente: "Señores sostiene quistión e renzilla | el muy sabio grande de Villa Sandino", *Baena,* núm. 358; "Leciones e quistiones | estudiar vos convenía", Ruiz de Toro, *Baena,* número 398; "Que no es buen seso de viejo | en el muy alto consejo | poner quistiones el rudo", Hernán Mejía, *N.ª B.ª de AA. E.,* 19, 273.

18 *Femençia,* 'vehemencia': "Ca el alma infinida e tan soberana | de cosas finidas non faze femençia", *Baena,* número 340.

22 Estos giros eran muy del gusto de los trovadores: "Serena serenidad, | benina beninidad", *A N.ª S.ª de Guadalupe,* IV: "¡Non terresces los tormentos | e temerosos temores?", *Bias,* 148; "Çierta çertinidad", *Doctri. de Privados,* XXIII; "Extremas extremidades", *ib.,* XXIX.

[CANCION] *

Si tu deseas a mi
yo non lo sé;
pero yo deseo a tí
en buena fe.

[I]

5   Ca non a ninguna [más],
así lo ten;
nin es, nin será jamás
otra mi bien.
En tan buen ora te ví
10   e te fablé,
que del todo te me dí
en buena fé.

---

* Texto de *M*.
4 *En buena fe*, v. Correas, *Voc. de refr.*, p. 468.
5 En el manuscrito *jamás*.

[II]

Yo soy tuyo, non lo dudes
sin fallir;
e non piensses al, nin cudes
sin mentir.
Después que te conoscí
me captivé,
e seso e saber perdí
en buena fé.

[III]

A tí amo e amaré
toda saçón,
e siempre te serviré
con grand raçón:
pues la mejor escogí
de quantas sé,
c non finjo nin fengí
en buena fé.

---

13 En el manuscrito "dubdes".
15 En el manuscrito "cuydes", que no rima: *cudar* al
lado de *cuydar*, 'pensar', va ya indicado anteriormente.
22 *Toda saçón*, 'siempre': "De fructales abondosas | flo-
resçen toda saçón", Santillana, *Bías*, 169.

[CANCION] *

[H]a bien errada opinión
quien dice: "quan lexos d'ojos
tan lexos de coraçón."

[I]

Ca yo vos juro, señora,
5   quanto más vos soy absente,
más vos amo ciertamente,
y deseo toda ora.
Esto façe la afición,
sin compañiá de los ojos,
10   mas del leal coraçón.

---

*   Texto de *M*.
1   Naturalmente en el manuscrito "a", que alteramos sólo
para evitar confusión.
3   En la colección del Marqués "Tan lueñe de ojos, tanto
de coraçón". En Correas, *Voc. de refr.*, es "lexos de vista,
lexos de coraçón", p. 145, y "Tan lexos de ojos, tan lexos de
coraçón", p. 411.

[II]

Alexadvos do querades,
ca non vos alexaredes
tanto [nin] jamás podredes
donde non me poseades
[ca so] tal costelaçión
vos vieron mis tristes ojos,
que vos dí mi coraçón.

[III]

Mas non se puede negar,
aunque yo non vos olvido,
que non sienta mi sentido
dolor de vos no mirar.
Pues diré con grand raçón:
—Çedo vos vean mis ojos
de todo buen coraçón.

---

13 En el manuscrito "mi".
15 En el manuscrito "casso".

[CANCION] *

[I]

Señora, muchas merçedes
del favor que me mostrastes:
set cïerta, e non dubdedes
que por siempre me ganastes.

[II]

5   Pues de vuestra grand valía
yo fuy tan favoresçido,
muy grand mengua me sería
que fuesse desconosçido.

[III]

Mas, señora, pues façedes
10   contra mí más que penssastes,
set cïerta, e non dubdades
que por siempre me ganastes.

---

*   Texto de Amador de los Ríos.

DEZIR

[I]

[Yo], mirando una ribera,
ví venir por [u]n grant llano
[u]n hombre, que cortesano
pareçía en su manera:
vestía ropa estrangera,
fecha al modo de Bravante,
bordada, bien roçegante,
pas[s]ante del estribera.

[II]

Tra[í]a al su d[i]estro lado
una [muy] fermosa dama,

---

1   *Y* "Ir".
2   *Y* "on" y lo mismo en el verso siguiente.
8   *Y* "paslante".
9   *Y* "Traya al su destro".
10 Falta "muy" en *Y*.

de las que toca la fama
en superlativo grado:
un capirote charpado
a manera bien estra[ñ]a
15   a fuer del alta [A]lima[ñ]a
donosamente ligado.

[III]

De gentil seda amarilla
eran aquestas dos hopas,
tales, que nunca ví ropas
20   tan lindas a maravilla:
el guarnimento e la silla
d'aquesta linda se[ñ]ora,
çertas depués nin agora
non lo vy tal en Castilla.

[IV]

25   Por música maestría
cantava esta canción,

---

14 Escrito "estranya".
15 En el manuscrito "limanya": sus formas variaban;
"Alemaña", Mena, *El Lab. de Fort.*, 44; "Alamaña", Pérez
de Guzmán, *N.ª B.ª de AA. E.*, 19, 002; "Alimaña", *Baena*,
números 357 y 423.
25 Así en el manuscrito; Amador "Por música e maestría".

que fizo a mi coraçón
perder el pavor que avía:
"Bien debo loar amor
30   pues toda vía
quiso to[rn]ar mi tristor
en alegría.

---

31 En el manuscrito "tomar".

[CANCION] *

Ya del todo he ya perdido
saber, sesso e discrepçión:
fuerça, sentido, raçón
ya buscan otro partido.
Plaçer, de quien favorido
era en aquella saçón
que vos ví, con tal canción
ya de mí se ha despedido.

---

* Texto de *Y*. Amador la incluye como estrofa del decir
"Gentil dama, tal paresçe".

[CANCION] *

"Coraçón, [adios] te dó,
ca donde mora pessar
non puedo mucho tardar,
pues que su contrario só.

[I]

5 En el tiempo que tú vías
la señora que elegiste,
ya sabes que todos dias
te me dí, segunt que viste.
Mas después que se perdió,
10 pues non te puedo alegrar,
encomiéndote el penssar,
amigo, pues que me vió.

---

* Texto de Amador, quien intercala esta canción como
parte de una anterior, que empieza: "Gentil dueña, tal paresçe".

[II]

Muy atarde de consuno
agua e fuego se convienen:
15   non pueden turar en uno
aquellos que mal s'avienen.
Pues tristeça perturbó
en ti todo mi logar,
non conviene porfiar
20   con quien pudo más que yo."

---

15 *Turar*, 'durar': "Ell amor me a de turar | hasta que
esté la crueza | vengada de mi tristeza", Hernán Mejía,
N.ª B.ª de AA. E., 19, 287; "Atarde tura el bien nin faze
el mal", Santillana, *Soneto VI;* "E turará tan lexos hasta
quando | será vittoria a Enoch, también a Helías", *Sone-
to XXXII;* y en sus refranes "Obra de portal ture poco e
paresca mal".

[DECIR] *

¿Quién será que se detenga,
si d'Amor es combatido?,
¿o quál será que non venga
en qualquier grave partido
que lo sca comctido?

[I]

Gran batalla me conquiso
ordenada en tal manera:

---

* Texto de *A.* Es uno de tantos "desafíos de amor",
muy semejante al de Alvarez Gato: "... Llevaré por con-
dicción | un cavallo de firmeza | ensillado con passión, | y
coraças de afición, |guarnescidas en tristeza: | un capacete
y bandera | de fuerte metal forjados, | que es lealtad ver-
dadera, | memoria firme y entera, | estofada con cuidados. |
De serviçios ha de ser | la guarnición de mis brazos, | bor-
dada del padescer | que me days sin merescer | en penas
de mil pedaços: | falda y gocetes serán | los desseos de ser-
viros, | porque son de jazerán, | que nunca se mudarán, |
guarnecidos en sospiros."

5 Este verso falta en Amador.

Fermossura delantera,
reglada de gentil visso,
10 [con] alas de loçanía;
banderas de gran sentido
labradas de cortesía;
así que finqué vençido,
del todo desfavorido.

[II]

15   Armada de gentileza
toda esta gente venía:
paramento de destreza,
plumajes de fidalguía
traían con tan buen ayre,
20 llamando grande apellido,
que me priso su donayre;
e dexome así ferido,
que tarde seré guarido.

---

10 Así en Amador; falta "con" en A.
20 *Apellido*, "voz de llamamiento, que fazen los omes para
ayuntarse e defender lo suyo, quando resciben daño o fuerça',
Partida 2.ª, l. 24, t. 26.

[DECIR] *

Amor, el qual olvidado
cuydava que me ten[í]a,
me façe bevir penado,
sospirando noche e día.

[I]

En otros tiempos quis[i]era
que de mí non se nenbrara:
que qualquier bien me fiçiera,
pues que gelo soplica[ra].
Mas después que rebatado
me vió de como solía,
me faze bevir penado
sospirando noche e día.

---

* Texto de A.
5 En el manuscrito "quisera".
8 En el manuscrito "soplicava".
9 Amador "rebatado".

[II]

Pero, Amor, pues me feçiste
amador, façme que crea
15   ser amado de quien viste
que me firió sin pelea:
si no, dome por burlado,
pues dona de tal valía
me faze bevir penado
20   sospirando noche e día.

[III]

Si non, sabe çiertamente
que jamás tuyo non sea,
nin me llame tu serviente
nin vista de tu librea,
25   aunque sep'andar rasgado;
pues tu poca cortesía
me faze bevir penado,
sospirando noche e día.

25 Amador "trasgado".

[CANCION] *

Nuevamente se m'a dado
el Amor a conosçer,
e quiérese adolesçer
de mí, del mal que [he passado].

[I]

5 Conoçiendo que mal faze
en matarme sin por qué,
yo veo por buena fé
que de mi servir le plaçe.
E conoçiendo que yerra,
10 sabiendo que vo a la guerra,
mucho bien m'a 'ncavalgado.

---

* Texto de *A.*
4 En el manuscrito "que passé".

[CANCION]

Def[ecto] es que bien s'entiende
a los que neçios no son,
que tal disimulación
atarde o nunca se aprende.
Pensando serte más firme
que Ar[qu]iles a Polixena
tengo más da[ñ]o que suena.

---

1 En Y "Deffranco".
6 Escrito "Archiles".
7 Escrito "danyo".

[CANCION] *

[I]

[E]l triste que se despide
de plazer e de folgura
se despide;
pues que su triste ventura
lo despide
de vos, linda creatura.

[II]

Del que tal licencia pide
havet, se[ñ]ora, amargura,
pues la pide
con desesperación pura,
e non pide
vida, mas muerte segura.

[CANCION] *

De vos bien servir
en toda saçón
el mi coraçón
non se sá [partir].

[I]

5
Linda en paresçer
que tanto obedesco,
queret guareçer
a mí, que padeçco:
que por yo deçir
10
mi buena razón,
segunt mi entençión,
non devo morir.

---

* Texto de *A*.
4 En el manuscrito "departir".
12 Así en el códice; Amador "dubdo".

[CANCION] *

[I]

Ya del todo desfalleçe
con pesar mi triste vida:
desde la negra partida
mi mal no mengua, mas creçe.

[II]

5   Non sé qué diga ventura,
que mal [me] quiso apartar
de vos, gentil criatura,
a la qual yo he d'amar.

[III]

Todo mi plazer peresçe
10   sin mi raçón ser o[í]da;
cruel muerte dolorida
veo que se me basteçe.

---

* Texto de A.
6 En el manuscrito "que mali quiso"; Amador "como me quiso".

[VILLANCICO] *

[I]

Por una gentil floresta
de lindas flores e rosas
vide tres damas fermosas,
que de amores han reqüesta.
Yo con voluntat muy presta
me llegué a conosçellas:
començó la una de ellas
esta cançión tan honesta:
    "Aguardan a mí;
        nunca tales guardas ví."

[II]

Por mirar su fermosura
destas tres gentiles damas,

---

* Texto de Amador.
4 *Reqüesta*, "demanda, especialmente en amores', ya explicada repetidas veces.
9 *Aguardar*, "observar, vigilar'. V. Berceo, *S. D.*, 766.

yo cobrime con las ramas,
metime so la verdura.
La otra con grand tristura
començó de sospirar
a deçir este cantar
con muy honesta messura:
    "La niña que amores ha
    sola ¿como dormirá?"

[III]

Por no les façer turbança
non quise ir más adelante
a las que con ordenança
cantavan tan consonante.
La otra con buen semblante
dixo: Señoras de estado,
pues las dos aveis cantado,
a mí conviene que cante:
    "Dejatlo al villano pene;
    véngueme Dios delle."

[IV]

Desque ya ovieron cantado
estas señoras que digo,
yo salí desconsolado,
como ome sin abrigo.

35   Ellas dixeron: Amigo
non soys vos el que buscamos;
mas cantat, pues que cantamos:
    "Sospirando yva la niña,
  e non por mí,
40   que yo bien se lo entendí."

CANTAR *

QUE FIZO EL MARQUÉS DE SANTILLANA
A SUS FIJAS LOANDO LA SU FERMOSURA

Dos serranas he trovado
a pié de áspera montaña,
segund es su gesto e maña
non vezadas de ganado.

[I]

5   De espinas trahen los velos
e de oro las crespinas,
senbradas de perlas finas,
que le aprietan sus cabellos;

---

* Esta composición, desconocida de Amador, está en el
Cancionero, manuscrito VII-Y-4 de la Biblioteca Real.
5 Así claramente en el códice, aunque la rima pedía *vellos*.

        e las trufas bien posadas,
10   a más, de oro arracadas,
        rruvios, larmos pmos? bellos
        segund doncellas d'estado.

[II]

        Fruentes claras e luzientes,
        las çejas en arco alçadas,
15   las narizes afiladas,
        chica boca e blancos dientes,
        ojos prietos e rientes,
        las mexillas como rosas,
        gargantas maravillosas,
20   altas, lindas al mi grado.

[III]

        Carnoso, blanco e liso
        cada cual en los sus pechos,
        porque Dios todos sus fechos
        dexó quando fer las quiso;

---

11 Así en el manuscrito.
13 *Fruentes*, "frentes', como el ant. *fluecco*.
17 *Prietos*, "negros', ya explicado otras veces.
24 *Fer* al lado de *far*, "hacer', hoy en el fut. perifr. *har-é*.

25 dos pumas de para[í]so
las [sus] tetas ygualadas,
en la su çinta delgadas
con aseo adonado.

[IV]

Blancas manos e pulidas,
30 e los dedos no espigados,
a las juntas no afeados,
uñas de argent guarnidas,
rrubíes e margaridas,
çafires e dïamantes,
35 axorcas ricas, sonantes,
todas de oro labrado.

[V]

Ropas trahen a sus guisas
todas fendidas por rrayas,
do les paresçen sus sayas
40 forradas en peñas grisas;
sus ropas bien asentadas,

---

25 *Pumas*, como pomas, 'manzanas'.

26 En el manuscrito falta "sus".

40 *Peñas*, 'pieles': "Creed que será enforrada | en peña
de grant valor", Ferrant Manuel, *Buena*, núm. 67. Las *peñas* eran *armiñas, grises*, etc., según el animal. *Grises* "son
ciertos animalejos de cuyas pieles se suelen hacer aforros,
y diéronles este nombre por la color parda que tienen", Covarrubias, *Tes. de la Leng. Cast.*, II, f. 40.

de azeytuní quartonadas,
de filo de oro brocado.

[VI]

Yo las ví, si Dios me vala,
45 posadas en sus tapetes,
en sus faldas los blanchetes,
que demuestran mayor gala.

[VII]

Los finojos he fincado,
segund es acostumbrado
50 a dueñas de grand altura:
ellas por la su mesura
en los pies m'an levantado.

---

45 *Tapete,* "alhombra con que se cubre el suelo', Covarrubias, *Tes. de la Leng. Cast.,* II, f. 182.
46 *Blanchetes,* "perrillos falderos', como en Hita: "Un perrillo blanchete con su señora jugava", 1375, ed. de Riv.; "A linda blancheta lançan grant mastyn", *Baena,* núm. 97.

[CANCION] *

[I]

Por un valle deleytoso,
do mora gentil conpaña,
o[í] un canto sabroso
de un ave muy estraña:
bien vos digo que en España
non ví otra de tal guisa;
esta trahe en su devisa
mucha gente de cucaña.

5

---

   * Igualmente desconocida de Amador; la tomamos del
códice VII-Y-4 de la Biblioteca Real. El tema, lugar común
de la poesía provenzal, y no poco manoseado por los trovadores del siglo xiv, es único entre las poesías del Marqués.

[II]

    Vila estar en un ramo,
10   e pensé que era esparvel,
nonbrando la que más amo.
Díxele: "Se[ñ]or uxel,
pues çercades el vergel,
por merced, si vos plazería,
15   de grado saber querría,
vuestro nombre quál es él."

[III]

    —"Cuco me llaman por nombre,
e tal es el mi clamor,
que en el mundo non ay onbre
20   que ame gentil señor,
que non tome grand pavor,
si me oyere rredoblar:
sy te plaze mi cantar,
otro son diré mejor."

[IV]

25   —"Señor, dixe, vuestro canto
otro tiempo me ponía

---

20 Como otras veces *señor* alternando con *señora*.

en temor e grand espanto
por una señora mía;
mas agora non querría
30   o[i]r otro papagayo,
que todo el pesar que trayo
he perdido en este día.

[V]

Por ende suplico agora
a la señor bien andante,
35   pues me fizo una señora
aleve por su talante,
que seades bien andante,
e yo aya en que vos syrva,
que querades ya yo viva
40   por vuestro de aquí adelante.

[VI]

[Muy] justa rrazón demandas,
e yo quiérolo fazer,
pues que veo que tu andas
sospiroso y sin plazer;

---

39   La rima parece contradecir una de las formas "syrva"
"viva"; sin embargo, el manuscrito no ofrece duda.
41   Falta "muy" en el manuscrito.

45
    por ende te do poner
    conplido, si Dios me vala,
    que tú seas en mi sala
    el mayor que pueda ser.

[FIN]

    El que fué a sus añaghacias
50
    que tema en derredor;
    [e] dile yo muchas gracias;
    finqué por su servidor.

---

49 *Añagaza* "es el señuelo que el caçador pone de la paloma mansa, que, atada en lo alto de la enzina, haze que todas las demás que passan de buelo se vengan a sentar allí a donde el caçador les tiene armada la red, o las tira con la ballesta", Covarrubias, *Tes. de la Leng. Cast.*, I, f. 52.

51 Falta "e" en el manuscrito.

[SERRANILLA] *

[I]

Serranillas de Moncayo,
Dios vos dé buen año entero,
ca de muy torpe lacayo
faríades cavallero.

[II]

5   Ya se pasava el verano,
al tiempo que onbre se apaña
con la ropa á la tajaña,
encima de Oxmediano

---

* Texto de *M*. Esta serranilla debió de componerla el
Marqués en el año 1429, estando de frontero en la villa de
Agreda, IV, v. 6, para impedir las incursiones de navarros
y aragoneses.

6 *Onbre*, con valor indeterminado como *uno*, en otro
lugar explicado.

7 *A la tajaña*, "al hombro".

10

ví serrana sin argayo
andar al pie del otero,
más clara que sale en Mayo,
ell alva, nin su luzero.

[III]

Díxele: "Dios nos mantenga,
serrana de buen donayre."
15 Respondió como en desgayre:
"¡Ay!, que en ora buena venga
aquel que para Sanct Payo
deota yrá mi prisionero."
E vino a mí como un rayo
20 diziendo: "Preso, montero."

[IV]

Díxele: "Non me matedes,
serrana, sin ser o[í]do,
ca yo non soy del partido,
desos por quien vos lo avedes.
25 Aunque me vedes tal sayo
en Agreda soy frontero,
e non me llaman Pelayo,
maguer me vedes señero."

---

19 Así en el manuscrito; Amador "como rayo".
28 *Señero*, 'solo, solitario', aun subsistente en el *Quijote*, I, 11.

[V]

Desque oyó lo que dezía,
dixo: "Perdonad, amigo,
mas folgad [ora] comigo,
e dexad la montería.
A este çurrón que trayo
quered ser mi parcionero,
pues me fallesçió [Mingayo]
que era comigo ovejero.

[FINIDA]

Entre Torellas y el Fayo
pasaremos el Febrero."
Díxele: "De tal ensayo,
serrana, soy placentero."

---

31 En el manuscrito "agora".
34 *Parcionero*, 'participación': "La ostia que ofreçe el
sacerdote señero | todo es el su pueblo en ella parzonero",
Berceo, *Sacrif.*, 129; "Ca pues el cuerpo fué en este mundo
parcionario et obrador en las buenas obras", Infante D. Juan
Manuel, *Libro de los Estados*, 38.
35 En el manuscrito "mi gayo".

★

[SERRANILLA II] *

[I]

En toda la su monta[n]a
de Trasmoz a Veratón
non ví tan gentil serrana.

[II]

Partiendo de Conejares,
allá susso en la monta[ñ]a,
çerca de la Travessaña,
camino de Trasovares,
encontré moça loçana

5

---

poco más acá de A[ñ]ón
10   riberas de una fontana.

[III]

Traía saya apertada,
muy bien fecha en la cintura;
a guisa d'Estremadura
çinta, e collera labrada.
15   Dixe: "Dios te salve, hermana;
aunque vengas de Aragón,
desta serás castellana."

[IV]

Respondiome: "Cavallero,
non penscis que me tenedes,
20   ca primero provaredes
este mi dardo pedrero;
ça después desta semana
fago bodas con Antón,
vaquerizo de Morana."

---

9   En *M* "Anón".
12 Amador "pressa": la traducción catalana del códice:
d, ij, 10 de la Biblioteca del Escorial sigue el texto de *M;*
"ben fetxa per la sentura".

[SERRANILLA III] *

[I]

Desque nací,
no ví tal serrana
como esta ma[ñ]ana.

[II]

Allá en la vegüela
a Mata 'l Espino,
en ese camino
que va a Loçoyuela,
de [guissa] la vy
que [me] fizo gana
la fruta tenprana.

* Texto de *A*.
1 *M* "Despues que nasçi".
4 *M* "a la vegüela".
8 Así en *M*; *A* "de tal manera la vy".
9 Así en *M*; en *A* falta "me".

[III]

Garnacha traía
de oro presada
con broncha dorada,
que bien parecía.
A ella volví
diziendo: "Loçana,
¿e soys vos villana?"

[IV]

"Sí soy, cavallero;
si por mí lo avedes,
decit ¿qué queredes?,
fablat verdadero."
Yo le dixe assí:
"Juro por Santana
que no soys villana."

---

11 *Garnacha,* "vestidura antigua de personajes muy graves con vuelta a las espaldas y una manga con recadero,
y assí se hallarán en las figuras de paños antiguos. Díxose
de la palabra guarnir, que en castellano antiguo vale defender, porque no sólo con ellas se defendían del frío, pero les
era defensa y amparo, para que la gente los acatasse y re-
verenciasse, siendo insignia de persona señalada ó ministro
grande del Rey. Y por esto el rey don Felipe II ordenó que
todos los de sus consejos y los oidores de las Chancillerías, y
fiscales truxessen estas ropas dichas garnachas", Covarrubias,
Tes. de la Leng. Cast., II, f. 26.
14 *M* "reluçía".

[SERRANILLA IV] *

[I]

Entre Torres y Canena,
açerca de Salloçar,
fallé mora de Bedmar
sanct Jullán en buen estrena.

[II]

5   Pellote negro vestía,
e lienços blancos tocava,

---

* Texto de *M*. Parece escribió el Marqués esta serranilla en 1438, estando de Capitán Mayor en la frontera de
Jaén.

2 *Açerca*, "cerca', Mena, *El Lab. de Fort.*, 89 y 116.

4 *Estrena*, "estreno' hablando de vestidos: "Este orillo
de color | qu' es de muy rico valor | ...—Soncas bien lo de-
termino | que es de la marca buena. | ¡A Dios dé buena es-
trena!", Lucas Fernández, p. 13 y 14.

5 *Pellote*, "abrigo con pieles'.

a fuer dell Andalucía,
e de alcorques se calçava.
Si mi voluntad agena
10 no fuera en mejor lugar,
no me pudiera escusar
de ser preso en su cadena.

[III]

Preguntele dó benía
después que la ove saluado,
15 o quál camino fazía.
Díxome que d'un ganado
quel guardavan en Kazena,
por coger e varear
las olivas de Ximena.

---

7 *A fuor*, "a estilo': "A fuer de Toledo, que pierde la dama y paga el caballero", Correas, *Voc. de refr.*, p. 2.

8 *Alcorques*, "género de calzado, cuyas suelas eran aforradas en corcho, que es la corteza del alcornoque, dicho en arábigo *corque*, y con el articulo al-corque", Covarrubias, *Tes. de la Leng. Cast.*, I, f. 28.

14 *M* "desque".

17 Es interesante este caso de *quel* por constituir ya una verdadera rareza en este tiempo la elisión de la vocal de los pronombres enclíticos; elisión tan frecuente en los primeros monumentos de la lengua. V. Erik Staaf, *Étude sur les pronoms abrégés en ancien espagnol*, Upsala, 1906. En *M* "guardava".

[IV]

20 Dixe: "Non vades señ[e]ra
señora, que esta mañana
han corrido la ribera,
aquende de Guadïana,
moros de Valdepurchena
25 de la guarda de Abdilbar;
ca de vervos mal passar
me sería grave pena."

[V]

Respondiome: "No curedes,
señor, de mi compañía;
30 pero graçias e merçedes
a vuestra grant cortesía;
ca Miguel de Jamilena
con los de Pegalajar
son pasados atajar:
35 vos tornad en ora buena.

---

20 *Vades subj.*: "Señor, merçed vos demando | por bon-
dad e cortesía | que la pobre entención mía | vades bien con-
syderando", Villasandino, *Baena*, 554. En la lengua posterior aun duraba con este sentido; "Bien será que os vais
a dormir", *Quijote*, I, 12. Hoy sólo de estas formas la persona *vamos* con valor de imperativo subjuntivo. En *M* "señora" es simple errata.
34 Así en el manuscrito; Amador "son passados a
atajar".

[SERRANILLA V] *

[I]

Moça tan fermosa
non ví en la frontera,
como una vaquera
de la Finojosa.

[II]

5   Faziendo la vía
del Calatraveño
a Santa María
vençido del sueño,
por tierra fragosa
10 perdí la carrera,
do ví la vaquera
de la Finojosa.

* Texto de *M*.

[III]

En un verde prado
de rosas e flores,
15   guardando ganado
con otros pastores,
la ví tan graciosa,
que apenas creyera
que fuese vaquera
20   de la Finojosa.

[IV]

Non creo las rosas
de la primavera
sean tan fermosas
nin de tal manera,
25   fablando sin glosa,
si antes supiera
de aquella vaquera
de la Finojosa.

[V]

Non tanto mirara
30   su mucha beldad,
porque me dexara
en mi libertad.

Mas dixe: "Donosa
(por saber quién era),
¿aquella vaquera
de la Finojosa?..."

[VI]

Bien como riendo,
dixo: "Bien vengades,
que ya bien entiendo
lo que demandades:
non es desseosa
de amar, nin lo espera,
aquossa vaquera
de la Finojosa.

---

35 Así en el manuscrito; Amador "¿dónde es la vaquera?"

[SERRANILLA VI] *

Serrana, tal casamiento
no consiento que fagades,
car de vuestro perdimiento,
maguer non me conoçcades,
muy grant desplazer avría
en vos ver enajenar
en poder de quien mirar
nin tratar non vos sabría.

5

---

* Texto de *A.*

[SERRANILLA VII] *

Madrugando en Robledillo
por yr buscar un venado,
fallé luego al Colladillo
caça, de que fui pagado.
5   Al pie dessa grant monta[ñ]a,
la que diçen de Verçossa,
ví guardar muy grant caba[ñ]a
de vacas moça fermosa.
Si voluntat no m'enga[ñ]a,
10   no ví otra más graçiosa:
si alguna desto s'ensa[ñ]a,
lóela su namorado.

---

*   Texto de *A*.
2   *Venado*, 'caza mayor': "Si algunos cavalleros u otros
monteros puerto u otro venado levantaren", *Fuero Real*, III,
tomo 4, l. 16.
5   En el manuscrito "montanya", "cabanya", etc.
7   *Cabaña*, 'vacada': "Hacen cavaña dozientas cabeças",
Covarrubias, *Tes. de la Leng. Cast.*, I, f. 111.
12   Amador "su enamorado".

[SERRANILLA VIII] *

De Vytoria me partía
un día desta semana,
por me passar a Alegría,
do ví moça lepuzcana.

[I]

Entre Gaona e Salvatierra,
en esse valle arbolado
donde s'aparta la sierra,
la ví guardando ganado,
tal como el alvor del día,
en un hargante de grana,
qual tod'ome la querría,
non vos digo por hermana.

---

* Texto de Amador. Tal vez escribió esta poesía en 1440, cuando fué hasta la frontera de Navarra, para acompañar a D.ª Blanca cuando vino a desposarse con el Príncipe D. Enrique.

[II]

Yo loé las de Moncayo
e sus gestos e colores,
de lo qual non me retrayo,
e la moçuela de ores;
pero tal fisonomía
en toda la su montana
çierto non se fallaría,
nin fué tan fermosa Yllana.

[III]

De la moça de Bedmar,
a fablarvos çiertamente,
raçón ove de loar
su grand e buen continente;
mas tampoco negaría,
la verdat, que tan loçana,
apres la señora mía,
non ví doña nin serrana.

---

27 *Apres,* "después". V. Santillana, *Ponza,* X.

ÍNDICE

                                                            Páginas

PRÓLOGO... VII
[Infierno de los enamorados]................................ 1
[Triunfete de Amor].. 42
[El sueño]... 55
[Decir contra los aragoneses].............................. 94
[Visión]... 98
[El planto de la Reina Margarida]....................... 105
[El planto de Pantasilea].................................... 114
Los gozos de Nuestra Señora............................... 124
[A Nuestra Señora do Guadalupe]........................ 131
[Querella de Amor].. 136
[Canción]... 143
Deçir... 149
Otro dezir.. 152
Otras coplas... 155
Otro deçir.. 160
Canción... 164
[Loor a D.ª Juana de Urgel, Condesa de Fox]........ 166
[El aguilando].. 169
[Carta del Marqués a una dama].......................... 172
Deçir de un enamorado....................................... 175
[Canción]... 180
[Canción]... 182
[Canción]... 184
[Canción]... 186
[Canción]... 188
[Canción]... 190

Páginas

[Canción a la Reina].. 192
[Canción].. 194
[Canción].. 196
[Canción].. 198
Dezir... 199
[Canción].. 202
[Canción].. 203
[Decir].. 205
[Decir].. 207
[Canción].. 209
[Canción].. 210
[Canción].. 211
[Canción].. 212
[Canción].. 213
[Villancico].. 214
Cantar... 217
[Canción].. 221
[Serranilla].. 225
[Serranilla II].. 228
[Serranilla III].. 230
[Serranilla IV].. 232
[Serranilla V].. 235
[Serranilla VI].. 238
[Serranilla VII]... 239
[Serranilla VIII].. 240